C000234221

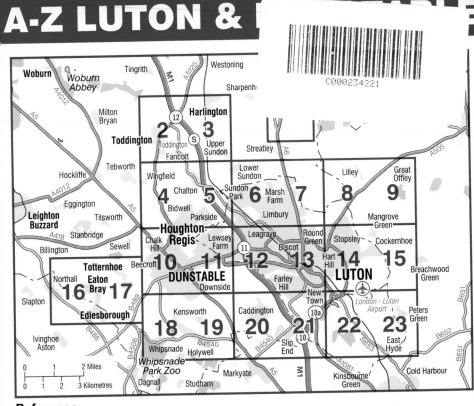

Reference

Motorway	M1	**Railway**	Station	**Fire Station**	■
A Road	A505	**Built Up Area**		**Hospital**	🅗
Proposed		**Local Authority Boundary**		**House Numbers** A & B Roads Only	2 — 33
B Road	B4540	**Posttown Boundary**		**Information Centre**	🛈
Dual Carriageway		**Postcode Boundary** within Posttown		**National Grid Reference**	505
One Way Street Traffic flow on A roads is indicated by a heavy line on the drivers' left	➡	**Map Continuation**	5	**Police Station**	▲
Track		**Car Park** Selected	🅿	**Post Office**	★
Footpath		**Church or Chapel**	†	**Toilet** with Facilities for the Disabled	▽ ♿
Residential Walkway					

Scale

1:19,000
3⅓ inches to 1 mile

0	¼	½	¾ Mile
0	250	500	750 Metres	1 Kilometre

Copyright of Geographers' A-Z Map Company Limited

Head Office : Fairfield Road, Borough Green, Sevenoaks, Kent TN15 8PP Tel: 01732 781000
Showrooms : 44 Gray's Inn Road, London WC1X 8HX Tel: 020 7440 9500

The Maps in this Atlas are based upon the Ordnance Survey mapping with the permission of the Controller of Her Majesty's Stationery Office

© 1997 EDITION 2 EDITION 2A (part revision) 1999 © Crown Copyright (399000)

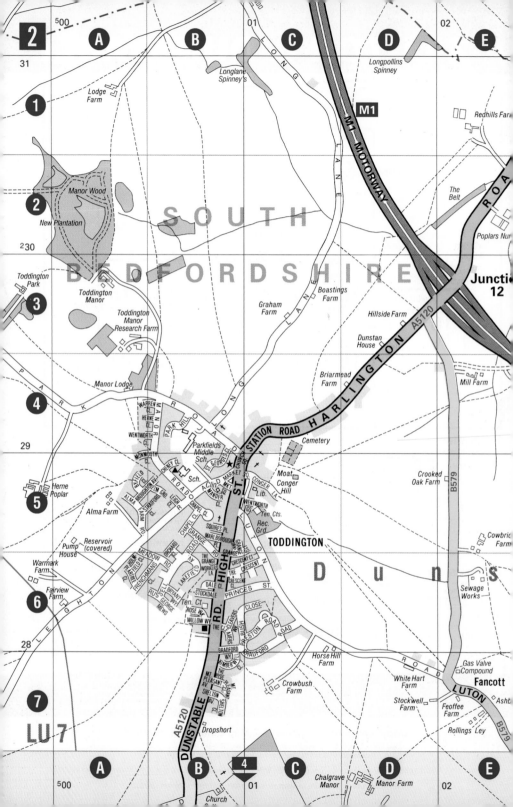

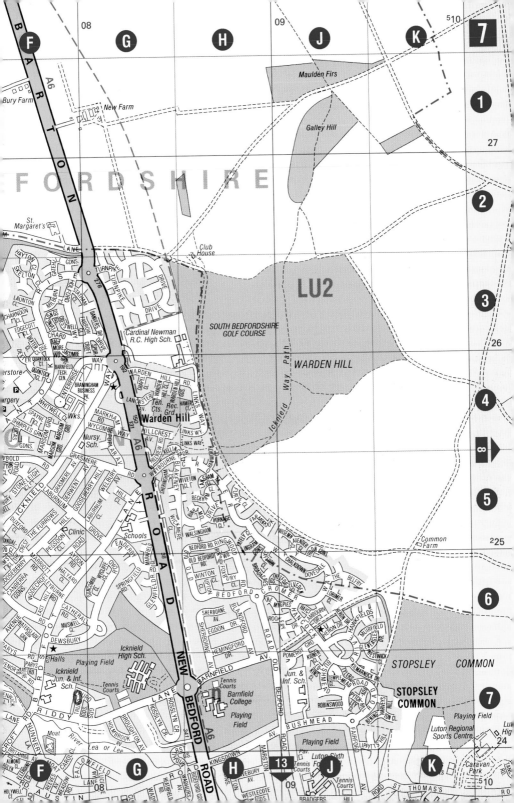

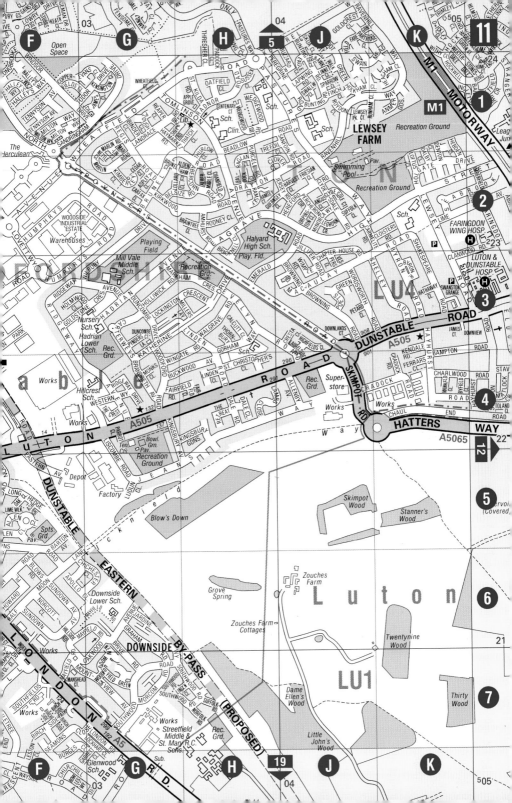

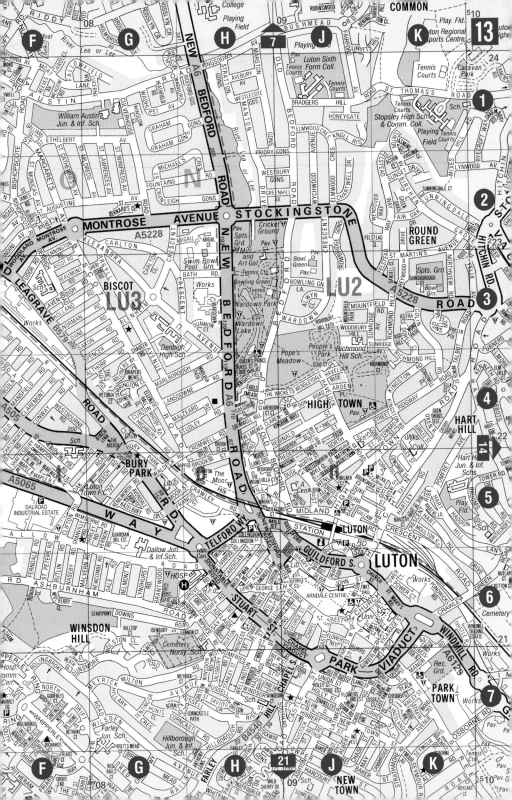

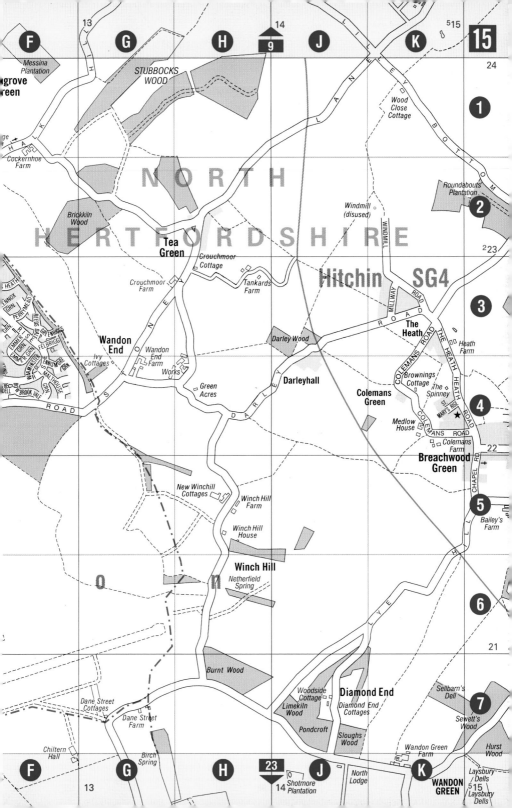

F **13** G H **14** △ **9** J K **515** **15**

24

Messina
Plantation

grove
reen

STUBBOCKS
WOOD

Wood
Close
Cottage

1

ge

Cockernhoe
Farm

Brickkiln
Wood

Roundabouts
Plantation

2

N O R T H

Windmill
(disused)

2 23

H E R T F O R D S H I R E

Tea
Green

Crouchmoor
Cottage

WINDMILL

Hitchin SG4

3

HEATH

LENNOX
GRN

PERRYMEAD

Crouchmoor
Farm

Tankards
Farm

GRENRINGS

REEDS BK

GRN

EMMERS GRN

FELBRIGG

CL

Wandon
End

Wandon
End
Farm

Works

Ivy
Cottages

Darley Wood

The
Heath

MILLWAY ROAD

ROAD

THE HEATH

Heath
Farm

Brownings
Cottage

COLEMANS

The
Spinney

ST. MARY'S RISE

ROAD

THE HEATH ROAD

4

ENNISWORTH

MALTHOUSE

Green
Acres

Darleyhall

Colemans
Green

Medlow
House

Colemans
Farm

ROAD

22

BROOK VALE

R O A D

DARLEY

Breachwood
Green

CHAPEL RD.

New Winchill
Cottages

Winch Hill
Farm

Bailey's
Farm

5

S T O N E

Winch Hill
House

LYE

Winch Hill

Netherfield
Spring

6

O N

21

Burnt Wood

Woodside
Cottage

Diamond End

Sellbarn's
Dell

7

Dane Street
Cottages

Dane Street
Farm

Limekiln
Wood

Pondcroft

Diamond End
Cottages

Sloughs
Wood

Sewett's
Wood

Chiltern
Hall

Birch
Spring

23
▽
14

Shotmore
Plantation

North
Lodge

Wandon Green
Farm

WANDON
GREEN

Hurst
Wood

Laysbury
Dells

515
Laysbury
Dells

F **13** G H J K

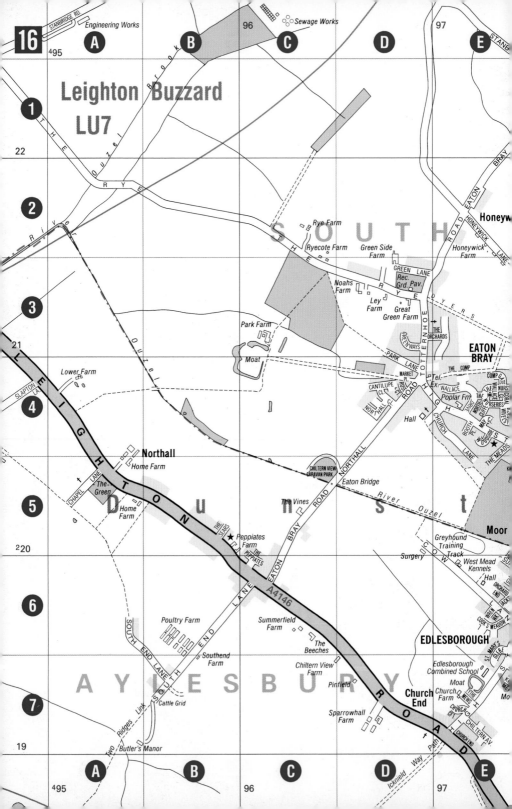

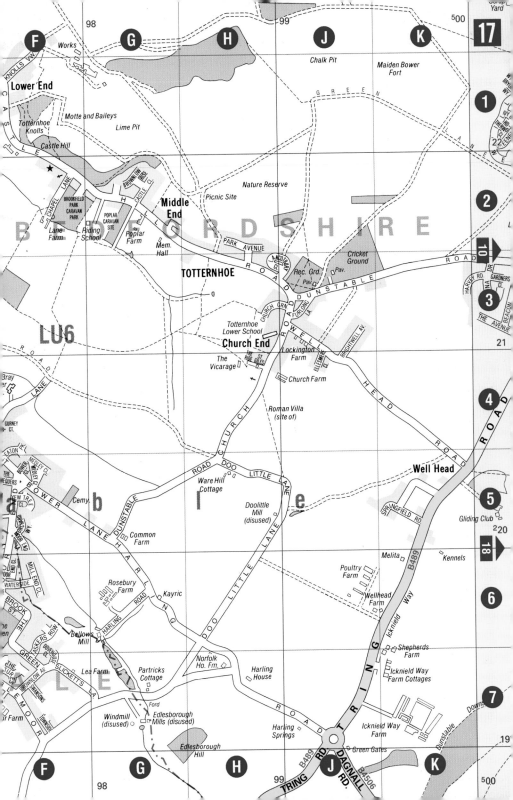

F   98   G   H   99   J   K   500

Scrap Yard

Works

Chalk Pit

Maiden Bower Fort

1

BRYANT RD · OSBORNE RD · THERMAN · 22

Lower End

Motte and Baileys

Lime Pit

Totternhoe Knolls

Castle Hill

GREEN LANE

Nature Reserve

Picnic Site

Middle End

Brookfield Park Caravan Park

Poplar Caravan Site

Riding School

Lane Farm

Poplar Farm

Mem. Hall

PARK AVENUE

Rec. Grd.

Pav.

McGILVARY

Cricket Ground

Pav.

2

BEDFORDSHIRE

ROAD

DUNSTABLE

ROAD

HARVEY RD · NA DR · GARDNERS CL

10

3

THE AVENUE · BEACON

TOTTERNHOE

21

LU6

ROAD

Totternhoe Lower School

CHURCH GRN

POWELL

LONG LA

Church End

The Vicarage

THE RIDE · ST GILES CL

Lockington Farm

ELLESMERE CL · BRIGHTWELL AV

HEAD

4

ROAD

Church Farm

Roman Villa (site of)

ROAD

BOWER LANE

Bray

LANE

CHURCH

Well Head

5

Cemy.

a   b

ROAD

DOO

LITTLE LANE

Ware Hill Cottage

l   e

Doolittle Mill (disused)

SPRINGFIELD RD

Gliding Club

220

THE CHEQUERS · NEW TREE

DOWNSIDE · MILL END

MILL END CL · BROOK ST · WATERSIDE

Common Farm

DUNSTABLE

HARLING

LITTLE

LANE

Melita

B489

Kennels

18

6

Rosebury Farm

ROAD

Kayric

Poultry Farm

Wellhead Farm

Icknield Way

BROWNLOW AV · SWANSONS

TOWNSEND · TEMPLE MEAD

Bellows Mill

HARLING

TASKERS ROW · SLICKETT'S LA

DOWNSIDE · BROWNLOW AV

DOO

Shepherds Farm

Icknield Way Farm Cottages

Lea Farm

Partricks Cottage

Norfolk Ho. Fm.

Harling House

TRING

7

THE GREEN · MOOR

Ford

Windmill (disused)

Edlesborough Mills (disused)

ROAD

Harling Springs

Icknield Way Farm

Downs

Dunstable

19

Edlesborough Hill

Green Gates

B4506

F   98   G   H   99   J   DAGNALL RD · TRING RD · B489   K   500

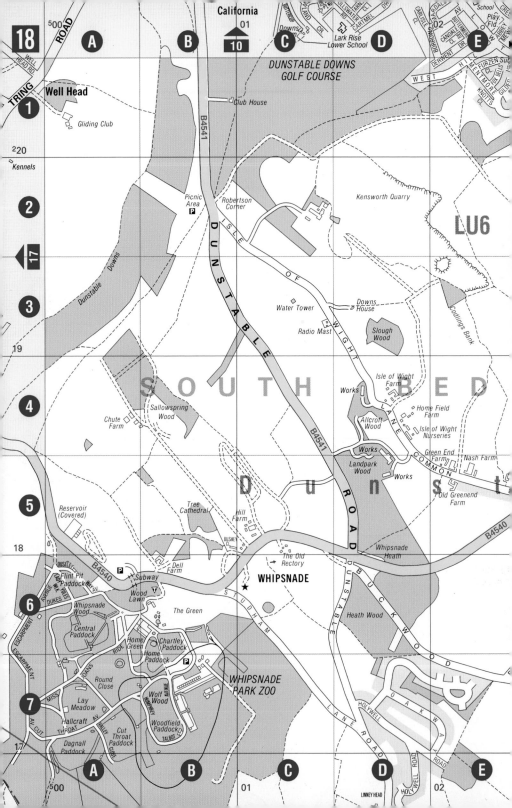

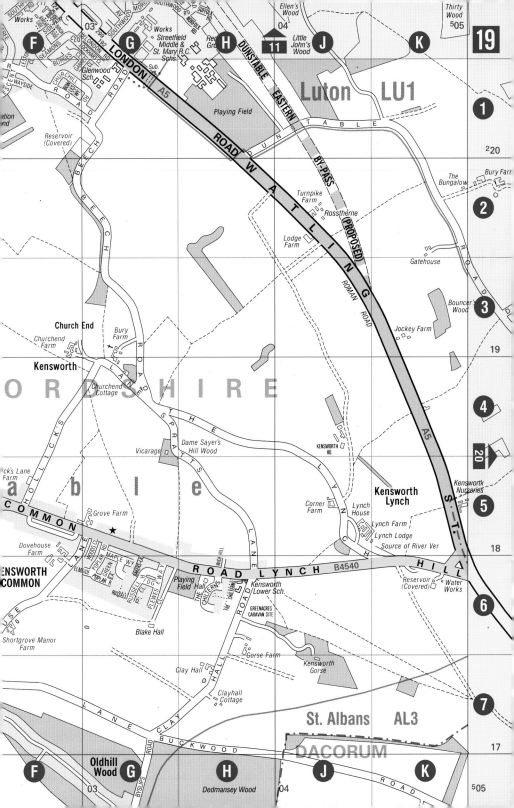

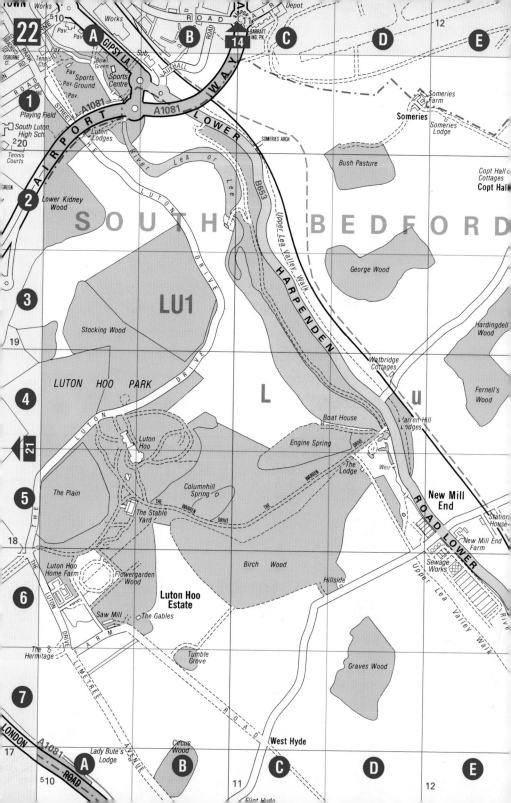

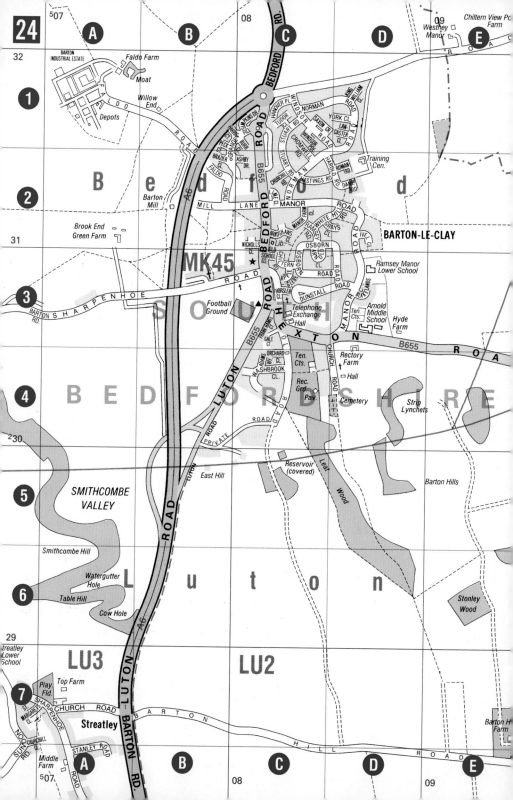

INDEX TO STREETS

HOW TO USE THIS INDEX

1. Each street name is followed by its Posttown or Postal Locality and then by its map reference; e.g. Abbey Dri. *Lut* —4A **14** is in the Luton Posttown and is to be found in square 4A on page **14**. The page number being shown in bold type.
   A strict alphabetical order is followed in which Av., Rd., St., etc. (though abbreviated) are read in full and as part of the street name;
   e.g. Abbotswood Pde. appears after Abbots Ct. but before Abbots Wood Rd.

2. Streets and a selection of Subsidiary names not shown on the Maps, appear in the index in *Italics* with the thoroughfare to which it is connected shown in brackets; e.g. *Alma St. Pas. Lut —6H* **13** *(off Alma St.)*

GENERAL ABBREVIATIONS

All : Alley	Cir : Circus	Ho : House	Pas : Passage
App : Approach	Clo : Close	Ind : Industrial	Pl : Place
Arc : Arcade	Comn : Common	Junct : Junction	Quad : Quadrant
Av : Avenue	Cotts : Cottages	La : Lane	Rd : Road
Bk : Back	Ct : Court	Lit : Little	S : South
Boulevd : Boulevard	Cres : Crescent	Lwr : Lower	Sq : Square
Bri : Bridge	Dri : Drive	Mnr : Manor	Sta : Station
B'way : Broadway	E : East	Mans : Mansions	St : Street
Bldgs : Buildings	Embkmt : Embankment	Mkt : Market	Ter : Terrace
Bus : Business	Est : Estate	M : Mews	Trad : Trading
Cvn : Caravan	Gdns : Gardens	Mt : Mount	Up : Upper
Cen : Centre	Ga : Gate	N : North	Vs : Villas
Chu : Church	Gt : Great	Pal : Palace	Wlk : Walk
Chyd : Churchyard	Grn : Green	Pde : Parade	W : West
Circ : Circle	Gro : Grove	Pk : Park	Yd : Yard

POSTTOWN AND POSTAL LOCALITY ABBREVIATIONS

Al G : Aley Green	Edl : Edlesborough	L Sun : Lower Sundon	Stud : Studham
Bar C : Barton-le-Clay	Harl : Harlington	Lut : Luton	S'dn : Sundon
Bid : Bidwell	Hpdn : Harpenden	Mark : Markyate	Tod : Toddington
B Grn : Breachwood Green	Hockl : Hockliffe	N'all : Northall	Tot : Totternhoe
Cad : Caddington	H Reg : Houghton Regis	Offl : Offley	Town I : Townsend Ind. Est.
Chal : Chalton	Kens : Kensworth	Pep : Pepperstock	Whip : Whipsnade
C'hoe : Cockernhoe	Leag : Leagrave	P Grn : Peters Green	W'fld : Wingfield
Dunst : Dunstable	L Buzz : Leighton Buzzard	S'hoe : Sharpenhoe	Wood : Woodside
E Hyde : East Hyde	Lil : Lilley	S End : Slip End	Wood E : Woodside Estate
Eat B : Eaton Bray	Lut A : London Luton Airport	Streat : Streatley	

INDEX TO STREETS

Abbey Dri. *Lut* —4A **14**
Abbey M. *Dunst* —7E **10**
Abbey Wlk. *H Reg* —6G **5**
Abbots Ct. *Lut* —4A **14**
Abbotswood Pde. *Lut* —4A **14**
Abbots Wood Rd. *Lut* —4A **14**
Abercorn Rd. *Lut* —2H **11**
Abigail Clo. *Lut* —2H **13**
Abigail Ct. *Lut* —2H **13**
Abingdon Rd. *Lut* —2A **12**
Acorn Clo. *Lut* —2K **13**
Acorns, The. *Lut* —1B **12**
Acworth Ct. *Lut* —7A **6**
Acworth Cres. *Lut* —7A **6**
Adelaide St. *Lut* —6H **13**
Adlington Ct. *Lut* —1A **12**
Adstone Rd. *Cad* —3D **20**
Aidans Clo. *Dunst* —4A **10**
Ailsworth Rd. *Lut* —6D **6**
Airport Executive Pk. *Lut* —5C **14**
Airport Way. *Lut* —3J **21**
Albemarle Clo. *Lut* —2H **11**
Albert Ct. *Dunst* —6E **10**
Albert Rd. *Lut* —7J **13**
Albion Ct. *Dunst* —5D **10**
Albion Ct. *Lut* —5J **13**
Albion Rd. *Lut* —5J **13**
Albion St. *Dunst* —5D **10**
Albury Clo. *Lut* —3E **6**
Aldbanks. *Dunst* —4A **10**
Aldenham Clo. *Lut* —2H **11**
Alder Cres. *Lut* —1E **12**
Alderton Clo. *Lut* —4D **14**
Aldhous Clo. *Lut* —7F **7**
Alesia Rd. *Lut* —6D **6**
Alexandra Av. *Lut* —6G **13**
Alfred St. *Dunst* —5E **10**
Alfriston Clo. *Lut* —2C **14**
Allenby Av. *Dunst* —4J **11**
Allen Clo. *Dunst* —5F **11**
Allendale. *Lut* —3E **6**
All Saints Rd. *H Reg* —7D **4**
Alma Farm Rd. *Tod* —5A **2**
Alma Link. *Lut* —6H **13**
Alma St. *Lut* —6H **13**
Alma St. Pas. Lut —6H **13**
(off Alma St.)
Almond Clo. *Lut* —7E **6**
(in two parts)
Alpine Way. *Lut* —4B **6**
Alsop Clo. *H Reg* —7D **4**
Althorp Rd. *Lut* —4G **13**

Alton Rd. *Lut* —1K **21**
Alwyn Clo. *Lut* —3J **13**
Amberley Clo. *Lut* —1D **14**
Ambleside. *Lut* —7D **6**
Ames Clo. *Lut* —3D **6**
Amhurst Rd. *Lut* —2H **11**
Andover Clo. *Lut* —6A **6**
Angel Clo. *Offl* —2K **9**
Angels La. *H Reg* —7D **4**
Angus Clo. *Lut* —2J **11**
Anmer Gdns. *Lut* —1K **11**
Anstee Rd. *Lut* —6K **5**
Anthony Gdns. *Lut* —1H **21**
Anvil Ct. *Lut* —7C **6**
Apex Bus. Cen. *Dunst* —3E **10**
Apollo Clo. *Dunst* —6F **11**
Appleby Gdns. *Dunst* —6D **10**
Applecroft Rd. *Lut* —1C **14**
Apple Glebe. *Bar C* —3C **24**
Apple Gro. *Lut* —1H **11**
Arbour Clo. *Lut* —2G **11**
Arbroath Rd. *Lut* —3B **6**
Arcade, The. *Lut* —4G **13**
Archway Pde. Lut —1D **12**
(off Marsh Rd.)
Archway Rd. *Lut* —1C **12**
Arden Pl. *Lut* —4J **13**
Ardleigh Grn. *Lut* —4D **14**
Ardley Clo. *Dunst* —1E **18**
Arenson Way. *H Reg* —3D **10**
Argyll Av. *Lut* —3G **13**
Armitage Gdns. *Lut* —4B **12**
Arncliffe Cres. *Lut* —4J **13**
Arndale Cen. *Lut* —6J **13**
Arndale Ct. Lut —5K **13**
(off Moulton Rise)
Arnold Clo. *Bar C* —3C **24**
Arnold Clo. *Lut* —2A **14**
Arnold Ct. *Dunst* —6C **10**
Arran Ct. *Lut* —6H **13**
Arrow Clo. *Lut* —6C **6**
Arthur St. *Lut* —7J **13**
Arundel Ct. *Lut* —2E **12**
Ascot Rd. *Lut* —3F **13**
Ashburnham Rd. *Lut* —6F **13**
Ashby Dri. *Bar C* —2C **24**
Ashcroft. *Dunst* —4B **10**
Ashcroft Rd. *Lut* —1B **14**
Ashdale Gdns. *Lut* —6H **13**
Ashfield Way. *Lut* —6E **6**
Ash Gro. *Dunst* —5F **11**
Ash Rd. *Lut* —5F **13**

Ashton Rd. *Dunst* —4D **10**
Ashton Rd. *Lut* —1J **21**
Ashton Sq. *Dunst* —5D **10**
Ash Tree Rd. *H Reg* —6D **4**
Ashwell Av. *Lut* —4A **6**
Ashwell Pde. Lut —4A **6**
(off Ashwell Av.)
Ashwell Wlk. *H Reg* —6G **5**
Aspley Clo. *Lut* —2G **11**
Astley Grn. *Lut* —3E **14**
(off Kempsey Clo.)
Astra Ct. *Lut* —3K **13**
Astrey Clo. *Harl* —1H **3**
Atherstone Rd. *Lut* —4B **12**
Atholl Clo. *Lut* —4B **6**
Aubrey Gdns. *Lut* —6K **5**
(off Toddington Rd.)
Audley Pl. *Lut* —4A **14**
Austin Rd. *Lut* —1F **13**
Avebury Av. *Lut* —1H **13**
Avenue Grimaldi. *Lut* —2E **12**
Avenue, The. *Dunst* —6A **10**
Avenue, The. *Lut* —7B **6**
Avon Ct. *Lut* —5G **13**
Avondale Rd. *Lut* —5G **13**
Axe Clo. *Lut* —6C **6**
Aydon Rd. *Lut* —6F **7**
Aynscombe Clo. *Dunst* —5B **10**

Back St. *Lut* —5J **13**
Bagwicks Clo. *Lut* —5C **6**
Bailey St. *Lut* —7K **13**
Bakers La. *Kens* —6G **19**
Baker St. *Lut* —1J **21**
(in two parts)
Bakewell Clo. *Lut* —4A **12**
Balcombe Clo. *Lut* —1C **14**
Baldock Clo. *Lut* —2H **11**
Balmore Wood. *Lut* —3F **7**
Bampton Rd. *Lut* —4K **11**
Banbury Clo. *Lut* —1D **12**
Bancroft Rd. *Lut* —7F **7**
Bank Clo. *Lut* —1K **11**
Barbers La. Lut —6J **13**
(off Guildford St.)
Barclay St. *Lut* —5K **13**
Barford Rise. *Lut* —4D **14**
Barking Clo. *Lut* —6K **5**
Barley Brow. *Dunst* —2A **10**
Barleycorn, The. Lut —5H **13**
(off Brook St.)

Barleyfield Way. *H Reg* —1C **10**
Barley La. *Lut* —7A **6**
Barleyvale. *Lut* —4E **6**
Barnard Rd. *Lut* —6E **12**
Barnfield Av. *Lut* —7H **7**
Barnston Clo. *Lut* —4D **14**
Barratt Ind. Pk. *Lut* —7C **14**
Barrie Av. *Dunst* —2A **10**
Barrowby Clo. *Lut* —4D **14**
Barton Av. *Dunst* —5F **11**
Barton Hill Rd. *Streat & Lil* —7B **24**
Barton Ind. Est. *Bar C* —1A **24**
Barton Rd. *Harl* —1H **3**
Barton Rd. *Lut* —1F **7**
Barton Rd. *S'hoe* —3A **24**
Barton Rd. *Streat* —7A **24**
Bath Rd. *Lut* —3H **13**
Baulk, The. *Lut* —2D **8**
Bay Clo. *Lut* —6K **5**
Baylam Dell. *Lut* —4E **14**
Beacon Av. *Dunst* —6A **10**
Beaconsfield. *Lut* —5B **14**
Beadlow Rd. *Lut* —1H **11**
Beale St. *Dunst* —4C **10**
Beanley Clo. *Lut* —3E **14**
Beaumont Rd. *Lut* —3F **13**
Beckbury Clo. *Lut* —3E **14**
Beckham Clo. *Lut* —5H **7**
Bedford Ct. *H Reg* —1D **10**
Bedford Gdns. *Lut* —5H **13**
Bedford Rd. *Bar C* —2C **24**
Bedford Rd. *H Reg* —4C **4**
Bedford Sq. *H Reg* —1D **10**
Beech Grn. *Dunst* —4B **10**
Beech Hill. *Lut* —5C **8**
Beech Hill Path. *Lut* —4F **13**
Beech Rd. *Dunst* —2F **19**
Beech Rd. *Lut* —5G **13**
Beech Tree Way. *H Reg* —7D **4**
Beechwood Ct. *Dunst* —6B **10**
Beechwood Mobile Homes. *Cad* —2C **20**
Beechwood Rd. *Lut* —1B **12**
Beecroft Way. *Dunst* —5B **10**
Belfry, The. *Lut* —6J **7**
Belgrave Rd. *Lut* —4B **6**
Bellerby Rise. *Lut* —6K **5**
Belmont Rd. *Lut* —6G **13**
Belper Rd. *Lut* —3B **12**
Belsham Pl. *Lut* —3E **14**
Belsize Rd. *Lut* —2G **11**
Belvedere Rd. *Lut* —7F **7**

Bembridge Gdns.—Clevedon Rd.

Bembridge Gdns. *Lut* —5D **6**
Benington Clo. *Lut* —7J **7**
Bennetts Clo. *Dunst* —6D **10**
Benning Av. *Dunst* —5B **10**
Benson Clo. *Lut* —5D **6**
Bentley Ct. Lut —5G 13
  (off Moor St.)
Beresford Rd. *Lut* —4E **12**
Berkeley Path. *Lut* —5J **13**
Bernard Clo. *Dunst* —4E **10**
Berrow Clo. *Lut* —3E **14**
Berry Leys. *Lut* —5C **6**
Bert Collins Ct. Lut —6G 13
  (off Wolston Clo.)
Besford Clo. *Lut* —3E **14**
Bethune Clo. *Lut* —7F **13**
Bethune Ct. *Lut* —7F **13**
Beverley Rd. *Lut* —4D **12**
Bexhill Rd. *Lut* —3D **14**
Bibshall Cres. *Dunst* —7E **10**
Bideford Gdns. *Lut* —1H **13**
Bidwell Clo. *H Reg* —7D **4**
Bidwell Hill. *H Reg* —7C **4**
Bidwell Path. *H Reg* —1D **10**
Bigthan Rd. *Dunst* —5E **10**
Bilton Way. *Lut* —5D **12**
Binder Clo. *Lut* —1G **11**
Binder Ct. Lut —1G 11
  (off Binder Clo.)
Binham Clo. *Lut* —5H **7**
Birchen Gro. *Lut* —2K **13**
Birch Link. *Lut* —4G **13**
Birch Side. *Dunst* —7F **11**
Birchside Path. *Dunst* —7F **11**
Birdsfoot La. *Lut* —7F **7**
Birling Dri. *Lut* —7C **8**
Birtley Croft. *Lut* —4E **14**
Biscot Rd. *Lut* —2F **13**
Bishopscote Rd. *Lut* —2F **13**
Blackburn Rd. *Town I* —2D **10**
Blacksmith Comn. *Chal* —2G **5**
Blacksmiths Clo. Dunst —5D 10
  (off Matthew St.)
Black Swan La. *Lut* —7E **6**
Blackthorn Dri. *Lut* —1C **14**
Black Thorn Rd. *H Reg* —6E **4**
Blakelands. *Bar C* —3D **24**
Blakeney Dri. *Lut* —5G **7**
Blandford Av. *Lut* —6H **7**
Blaydon Rd. *Lut* —5A **14**
Blenheim Cres. *Lut* —3G **13**
Bloomfield Av. *Lut* —4A **14**
Bloomsbury Gdns. *H Reg* —7F **5**
Blows Rd. *Dunst* —6F **11**
Bluebell Wood Clo. *Lut* —6D **12**
Blundell Rd. *Lut* —2E **12**
Blyth Pl. Lut —7H 13
  (off Russell St.)
Bodmin Rd. *Lut* —1D **12**
Bolingbroke Rd. *Lut* —7F **13**
Bolney Grn. *Lut* —2D **14**
Bolton Rd. *Lut* —6K **13**
Bonnick Clo. *Lut* —7G **13**
Booth Pl. *Eat B* —4E **16**
Borders Way. H Reg —6E 4
  (off Black Thorn Rd.)
Borough Rd. *Dunst* —6F **11**
Borrowdale Av. *Dunst* —7E **10**
Boscombe Rd. *Dunst* —3E **10**
Bosmore Rd. *Lut* —6D **6**
Bowbrook Vale. *Lut* —4F **15**
Bower Clo. *Eat B* —5F **17**
Bower Heath La. *Hpdn* —7J **23**
Bower La. *Eat B* —5F **17**
Bowland Cres. *Dunst* —7C **10**
Bowles Way. *Dunst* —1F **19**
Bowling Grn. La. *Lut* —3J **13**
Bowmans Clo. *Dunst* —6E **10**
Bowmans Way. *Dunst* —6E **10**
Boxgrove Clo. *Lut* —7C **8**
Boxted Clo. *Lut* —7A **6**
Boyle Clo. *Lut* —5J **13**
Braceby Clo. *Lut* —6D **6**
Brache Ct. *Lut* —7K **13**
Brackendale Gro. *Lut* —7E **6**
Bracklesham Gdns. *Lut* —2D **14**
Bracknell Clo. *Lut* —2H **11**
Bradford Rd. *Tod* —6C **2**
Bradford Way. *Tod* —6B **2**
Bradgers Hill Rd. *Lut* —1J **13**
Bradley Rd. *Lut* —4A **12**
Bradshaws Clo. *Bar C* —2C **24**
Braintree Clo. *Lut* —2H **11**
Braithwaite Ct. Lut —4H 13
  (off Malzeard Rd.)
Bramble Clo. *Lut* —1A **14**
Bramble Rd. *Lut* —1A **12**

Bramhanger Acre. *Lut* —5B **6**
Bramingham Bus. Pk. *Lut* —4F **7**
Bramingham La. *Lut* —2E **6**
Bramingham Rd. *Lut* —7C **6**
Brampton Rise. *Dunst* —7E **10**
Brandreth Av. *Dunst* —4G **11**
Branton Clo. *Lut* —3E **14**
Brantwood Rd. *Lut* —6G **13**
Bray's Ct. *Lut* —2B **14**
Brays Rd. *Lut* —2B **14**
Brazier Clo. *Bar C* —2B **24**
Brecon Clo. *Lut* —7H **13**
Brendon Av. *Lut* —4C **14**
Brentwood Clo. *H Reg* —6F **5**
Bretts Mead. *Lut* —1G **21**
Bretts Mead Ct. *Lut* —7G **13**
Brewers Hill Rd. *Dunst* —4A **10**
Brian Rd. *Harl* —1J **3**
Briar Clo. *Lut* —1C **14**
Brickhill Farm Pk. Homes. *Lut*
  —6G **21**
Brickly Rd. *Lut* —7K **5**
Bridgeman Dri. *H Reg* —7F **5**
Bridge St. *Lut* —6J **13**
Brierley Clo. *Dunst* —1E **18**
Brierley Clo. *Lut* —3D **14**
Brightwell Av. *Tot* —3J **17**
Brill Clo. *Lut* —3D **14**
Brimfield Clo. Lut —3E 14
  (off Kempsey Clo.)
Bristol Rd. *Lut* —1E **12**
Britain St. *Dunst* —5E **10**
Britannia Av. *Lut* —7F **7**
Brittany Ct. Dunst —5E 10
  (off High St. S.)
Brive Rd. *Dunst* —6G **11**
Broadacres. *Lut* —6H **7**
Broad Mead. *Lut* —6H **7**
Broad Oak Ct. Lut —2D 14
  (off Handcross Rd.)
Broad Wlk. *Dunst* —4D **10**
Brocket Ct. *Lut* —6B **6**
Bromley Gdns. *H Reg* —7F **5**
Brompton Clo. *Lut* —4D **6**
Brook Ct. *Lut* —4H **13**
Brookfield Av. *H Reg* —7E **4**
Brookfield Pk. *H Reg* —7E **4**
Brookfield Park Cvn. Pk. *Tot* —2F **17**
Brookfield Wlk. *H Reg* —1F **11**
Brooklands Clo. *Lut* —6A **6**
Brook St. *Edl* —6F **17**
Brook St. *Lut* —5H **13**
Brooms Rd. *Lut* —5A **14**
Broughton Av. *Lut* —7G **7**
Broughton Av. *Tod* —5A **2**
Browning Rd. *Lut* —3J **11**
Brownlow Av. *Edl* —7F **17**
Brownlow Rise. *Tot* —2G **17**
Brown's Clo. *Lut* —7B **6**
Browns Cres. *Harl* —1H **3**
Broxley Mead. *Lut* —7A **6**
Brunel Ct. *Lut* —2G **11**
Brunel Rd. *Lut* —2G **11**
Brunswick St. *Lut* —5J **13**
Brussels Way. *Lut* —3B **6**
Bryant Rd. *Tod* —6B **2**
Bryant Way. *Tod* —6B **2**
Bryony Way. *Dunst* —4A **10**
Buchanan Ct. *Lut* —5B **14**
Buchanan Dri. *Lut* —5B **14**
Buckingham Dri. *Lut* —3D **14**
Buckle Clo. *Lut* —5D **6**
Buckwood Av. *Dunst* —4G **11**
Buckwood La. *Stud* —6D **18**
Buckwood Rd. *Kens & Mark*
  —7G **19**
Bull Pond La. *Dunst* —5D **10**
Bunhill Clo. *Dunst* —5B **10**
Bunting Rd. *Lut* —7J **5**
Bunyans Clo. *Lut* —7E **6**
Bunyans Wlk. *Harl* —1H **3**
Burfield Ct. *Lut* —2D **14**
Burford Clo. *Lut* —3D **6**
Burford Wlk. *H Reg* —7G **5**
Burges Clo. *Dunst* —1F **19**
Burnham Rd. *Lut* —3B **14**
Burnt Clo. *Lut* —5D **6**
Burr Clo. *Bar C* —1C **24**
Burrs Pl. *Lut* —7J **13**
Burr St. *Dunst* —5D **10**
Burr St. *Lut* —5J **13**
Bury Clo. *Harl* —2H **3**
Bury Pk. Rd. *Lut* —4G **13**
Bush Clo. *Tod* —6B **2**
Bushey Clo. *Whip* —5B **18**
Bushmead Rd. *Lut* —7J **7**
Butely Rd. *Lut* —6K **5**

Bute Sq. *Lut* —6J **13**
  (off Arndale Cen.)
Bute St. *Lut* —6J **13**
  (in two parts)
Bute St. Mall. Lut —6J 13
  (off Arndale Cen.)
Butlin Rd. *Lut* —6F **13**
Buttercup Clo. *Dunst* —6C **10**
Buttercup La. *Dunst* —6C **10**
Butterfield Grn. Rd. *Lut* —6A **8**
Buttermere Av. *Dunst* —7E **10**
Butterworth Path. *Lut* —5J **13**
Buxton Rd. *Lut* —6H **13**
Buzzard Rd. *Lut* —1J **11**
Byfield Clo. *Lut* —4K **11**
Byfield Clo. *Tod* —5A **2**
Byron Rd. *Lut* —3K **11**
Byslips Rd. *Stud* —7G **19**

C

Caddington Comn. *Mark* —6C **20**
Cades Clo. *Lut* —7E **12**
Cades La. *Lut* —7E **12**
Cadia Clo. *Cad* —2C **20**
Calcutt Clo. *Dunst* —3H **11**
Caleb Clo. *Lut* —3D **12**
Calnwood Rd. *Lut* —3K **11**
Calverton Rd. *Lut* —6D **6**
Cambridge St. *Lut* —1J **21**
Camford Way. *Lut* —4J **5**
Campania Gro. *Lut* —4E **6**
Camp Dri. *H Reg* —7D **4**
Campian Clo. *Dunst* —4A **10**
Canberra Gdns. *Lut* —6F **7**
Candale Clo. *Dunst* —7E **10**
Canesworde Rd. *Dunst* —6C **10**
Cannon La. *Lut* —7B **8**
Canterbury Clo. *Lut* —1D **12**
Cantilupe Clo. *Eat B* —4D **16**
Capability Grn. *Lut* —2K **21**
Capron Rd. *Dunst* —3C **10**
Capron Rd. *Lut* —1C **12**
Cardiff Gro. *Lut* —6H **13**
Cardiff Rd. *Lut* —6H **13**
Cardigan Ct. Lut —5H 13
  (off Cardigan St.)
Cardigan St. *Lut* —6H **13**
Carfax Clo. *Lut* —2G **11**
Carisbrooke Rd. *Lut* —4C **12**
Carlisle Clo. *Dunst* —7D **10**
Carlton Clo. *Lut* —3G **13**
Carlton Cres. *Lut* —2G **13**
Carmelite Rd. *Lut* —2J **11**
Carnegie Gdns. *Lut* —4E **6**
Carol Clo. *Lut* —1F **13**
Carolyn Ct. *Lut* —1F **13**
Carsdale Clo. *Lut* —6E **6**
Carteret Rd. *Lut* —4C **14**
Carterways. *Dunst* —3G **11**
Cartmel Dri. *Dunst* —7D **10**
Castle Clo. *Tot* —2G **17**
Castle Croft Rd. *Lut* —6E **12**
Castle Hill Rd. *Tot* —1F **17**
Castle St. *Lut* —7J **13**
  (in two parts)
Catchacre. *Dunst* —6C **10**
Catesby Grn. *Lut* —3E **6**
Catherall Rd. *Lut* —6F **7**
Catsbrook Rd. *Lut* —6F **7**
Cavalier Clo. *Lut* —6E **6**
Cavendish Rd. *Lut* —3F **13**
Caxton Ct. *Lut* —1D **12**
Cedar Clo. *Lut* —2G **11**
Cedars, The. *Dunst* —6E **10**
Celandine Dri. *Lut* —4E **6**
Cemetery Rd. *H Reg* —1D **10**
Centenary Ct. *Lut* —1H **11**
Chadwell Clo. *Lut* —4K **13**
Chadwick Ct. *Dunst* —4C **10**
Chalfont Way. *Lut* —3C **14**
Chalgrave Rd. *Teb & LU5* —1A **4**
Chalkdown. *Lut* —6J **7**
Chalk Hill. *Lut* —1F **15**
Challney Clo. *Lut* —3B **12**
Chalton Heights. *Chal* —3G **5**
Chalton Rd. *Lut* —7A **6**
Chandos Rd. *Lut* —4D **12**
Chanfield Clo. *Lut* —2H **11**
Chapel Clo. *Lut* —4G **7**
Chapel Clo. *Tod* —5B **2**
Chapel La. *Dunst* —5A **16**
Chapel La. *N'all* —5A **16**
Chapel La. *Lut* —2F **17**
Chapel Path. *H Reg* —1D **10**
Chapel Rd. *B Grn* —5K **15**
Chapel St. *Lut* —7J **13**
  (in two parts)

Chapel Viaduct. *Lut* —6J **13**
Chapter Ho. Rd. *Lut* —3J **11**
Chard Dri. *Lut* —3F **7**
Charles St. *Lut* —4K **13**
Charlwood Rd. *Lut* —4K **11**
Charmbury Rise. *Lut* —1A **14**
Charndon Clo. *Lut* —3F **7**
Chartwell Dri. *Lut* —2J **13**
Chase St. *Lut* —1J **21**
Chatsworth Rd. *Lut* —4F **13**
Chatteris Clo. *Lut* —1B **12**
Chatton Clo. *Lut* —3E **14**
Chaucer Rd. *Lut* —3G **13**
Chaul End La. *Lut* —4C **12**
Chaul End Rd. *Cad* —5A **12**
Chaul End Rd. *Lut* —4K **11**
Chaworth Grn. *Lut* —7A **6**
Cheapside. *Lut* —6J **13**
Cheapside Mall. Lut —6J 13
  (off Arndale Cen.)
Cheapside Sq. Lut —6J 13
  (off Arndale Cen.)
Chelsea Gdns. *H Reg* —7F **5**
Chelsworth Clo. *Lut* —4D **13**
Cheney Clo. *Dunst* —5B **2**
Cheney Rd. *Lut* —7A **6**
Chequer Ct. *Lut* —7K **13**
Chequers, The. *Eat B* —5F **17**
Chequer St. *Lut* —7K **13**
Cherry Tree Clo. *Lut* —4A **14**
Cherry Tree M. *Lut* —4K **13**
Cherry Tree Wlk. *H Reg* —6D **4**
Chertsey Clo. *Lut* —5D **14**
Chesford Rd. *Lut* —1C **14**
Cheslyn Clo. *Lut* —3E **14**
Chester Av. *Lut* —2C **12**
Chester Clo. *Lut* —3D **12**
Chestnut Av. *Lut* —3A **6**
Cheveralls, The. *Dunst* —7E **10**
Cheviot Clo. *Lut* —5B **6**
Cheviot Rd. *Lut* —5B **6**
Cheyne Clo. *Dunst* —2B **10**
Chichester Clo. *Dunst* —6G **11**
Chiltern Av. *Edl* —7E **16**
Chiltern Clo. *Dunst* —4C **10**
Chiltern Gdns. *Lut* —2D **12**
Chiltern Pk. *Dunst* —3F **11**
Chiltern Rise. *Lut* —7H **13**
Chiltern Rd. *Bar C* —3C **24**
Chiltern Rd. *Dunst* —5C **10**
Chilterns, The. *Kens* —6H **19**
Chiltern View Caravan Pk. *Eat B*
  —5C **16**
Chobham St. *Lut* —7K **13**
Chobham Wlk. *Lut* —7J **13**
Christchurch Ct. Dunst —4C 10
  (off High St. N.)
Christian Clo. *Harl* —2G **3**
Church Clo. *Dunst* —5E **10**
Church Croft. *Edl* —7E **16**
Church End. *H Reg* —7C **4**
Church End. *Mark* —7B **20**
Churchfield Rd. *H Reg* —7D **4**
Church Grn. *Tot* —3H **17**
Churchill Clo. *Streat* —7A **24**
Churchill Rd. *Bar C* —2C **24**
Churchill Rd. *Dunst* —1F **19**
Churchill Rd. *Lut* —4E **12**
Churchills. *Harl* —1H **3**
Church La. *Eat B* —4E **16**
Church Rd. *Bar C* —4D **24**
Church Rd. *Harl* —1H **3**
Church Rd. *S End* —4G **21**
Church Rd. *Streat* —7A **24**
Church Rd. *S'dn* —7J **3**
Church Rd. *Tot* —4H **17**
Church Sq. *Lut* —6J **13**
Church Sq. *Tod* —5B **2**
Church St. *Dunst* —5D **10**
Church St. *Lut* —6J **13**
Church St. Mall. Lut —6J 13
  (off Arndale Cen.)
Church Wlk. *Dunst* —5E **10**
Cicero Dri. *Lut* —4E **6**
Clare Ct. *Lut* —2D **12**
Claremont Rd. *Lut* —4F **13**
Clarendon Ct. *Lut* —4H **13**
Clarendon Rd. *Lut* —4H **13**
Clarion Clo. *Offl* —2J **9**
Clarkes Way. *H Reg* —1E **10**
Clark Gro. *Lut* —4D **14**
Claverley Gro. *Lut* —3E **14**
Claydown Way. *S End* —5F **21**
Clay Hall Rd. *Kens* —7G **19**
Cleavers, The. *Tod* —6B **2**
Cleavers Wlk. *Tod* —6B **2**
Clevedon Rd. *Lut* —3B **14**

Clifford Cres. *Lut* —7B **6**
Clifton Rd. *Dunst* —4C **10**
Clifton Rd. *Lut* —5F **13**
Clinton Av. *Lut* —1K **13**
Clive Ct. *Lut* —4J **13**
Cloisters Rd. *Lut* —2K **11**
Cloisters, The. *H Reg* —6E **4**
  (off Sycamore Rd.)
Close, The. *Lut* —7E **6**
Clover Clo. *Lut* —2J **11**
Clydesdale Ct. *Lut* —2J **11**
Clydesdale Rd. *Lut* —2J **11**
Cobden St. *Lut* —4J **13**
Cockernhoe La. *Lut* —3D **14**
Colebrook Av. *Lut* —5A **6**
Colemans Rd. *B Grn* —4K **15**
Colin Rd. *Lut* —3K **13**
Collingdon Ct. *Lut* —5H **13**
Collingdon St. *Lut* —5H **13**
Collings Wells Clo. *Cad* —2C **20**
Collingtree. *Lut* —1B **14**
Collins Clo. *H Reg* —1D **10**
Collins Wood Residential Pk. *Cad*
  —1C **20**
Coltsfoot Grn. *Lut* —7J **5**
Colwell Ct. *Lut* —3E **14**
Colwell Rise. *Lut* —3E **14**
Common La. *Hpdn* —7K **23**
Common La. *S'dn* —7J **3**
Common Rd. *Kens* —5D **18**
Comp Ga. *Eat B* —4E **16**
Comp, The. *Eat B* —4E **16**
Compton Av. *Lut* —1B **12**
Concorde St. *Lut* —5K **13**
Conger La. *Tod* —5C **2**
Coniston Rd. *Lut* —7D **6**
Connaught Rd. *Lut* —4C **12**
Conquest Rd. *H Reg* —7G **5**
Constable Clo. *H Reg* —7F **5**
Constable Ct. *Lut* —3E **12**
Conway Clo. *H Reg* —7G **5**
Conway Rd. *Lut* —4F **13**
Cookfield Clo. *Dunst* —5A **10**
Cook's Meadow. *Edl* —6E **16**
Coombe Dri. *Dunst* —6A **10**
Copenhagen Clo. *Lut* —4B **6**
Copperfields Clo. *H Reg* —1F **11**
Copse Way. *Lut* —4B **6**
Copthorne. *Lut* —2D **14**
Coral Clo. *Eat B* —4E **16**
Corbridge Dri. *Lut* —3E **14**
Corinium Gdns. *Lut* —4E **6**
Corncastle Path. *Lut* —7H **13**
Corncastle Rd. *Lut* —7G **13**
Corncrake Clo. *Lut* —7C **8**
Cornel Clo. *Lut* —6E **12**
Cornel Ct. *Lut* —6E **12**
Cosgrove Way. *Lut* —4B **12**
Cotefield. *Lut* —2A **12**
Cotswold Farm Bus. *Cad* —4B **20**
Cotswold Gdns. *Lut* —5A **6**
Coulson Ct. *Lut* —5C **12**
Coupees Path. *Lut* —5J **13**
Court Dri. *Dunst* —4F **11**
Covent Garden Clo. *Lut* —2D **12**
Coverdale. *Lut* —6K **5**
Cowdrey Clo. *Lut* —2C **14**
Cow La. *Edl* —5E **16**
Cowper St. *Lut* —1J **21**
Cowridge Cres. *Lut* —5A **14**
Coyney Grn. *Lut* —4G **13**
Crabtree Way. *Dunst* —4D **10**
Cradock Rd. *Lut* —4H **13**
Cranbrook Dri. *Lut* —4B **6**
Cranleigh Gdns. *Lut* —2G **13**
Crawley Clo. *S End* —5G **21**
Crawley Grn. Rd. *Lut* —4C **14**
Crawley Rd. *Lut* —6K **13**
Creasey Pk. Dri. *Dunst* —3B **10**
Crescent. *Tod* —6B **2**
Crescent Ct. *Dunst* —6B **2**
Crescent Rise. *Lut* —5K **13**
Crescent Rd. *Lut* —5K **13**
Crescent, The. *Cad* —3D **20**
Crescent, The. *Tod* —6B **2**
Cresswell Gdns. *Lut* —3F **7**
Cresta Clo. *Dunst* —3J **11**
Crest, The. *Dunst* —4G **11**
Crest, The. *Lut* —5F **7**
Croft Grn. *Dunst* —5B **10**
Croft Rd. *Lut* —2B **14**
Croft, The. *Lut* —4B **6**
Cromer Way. *Lut* —5H **7**
Cromwell Hill. *Lut* —4H **13**
Cromwell Rd. *Bar C* —1C **24**
Cromwell Rd. *Lut* —4H **13**
Crosby Clo. *Dunst* —7E **10**

Crosby Clo. *Lut* —3E **12**
Crosslands. *Cad* —3C **20**
Cross St. *Lut* —5J **13**
Cross St. N. *Dunst* —4C **10**
Crossways. *H Reg* —7E **4**
Cross Way, The. *Lut* —1G **21**
Crowland Rd. *Lut* —7C **8**
Croxton Clo. *Lut* —5E **6**
Cubbington Clo. *Lut* —5E **6**
Cuckoo's Nest. *Lut* —6A **14**
Cuffley Clo. *Lut* —1D **12**
Culverhouse Rd. *Lut* —1G **13**
Culworth Clo. *Cad* —3C **20**
Cumberland St. *H Reg* —1D **10**
Cumberland St. *Lut* —7J **13**
Cumbria Clo. *H Reg* —7G **5**
Curlew Rd. *Lut* —7C **8**
Curzon Rd. *Lut* —4G **13**
Cusworth Wlk. *Dunst* —4A **10**
Cusworth Way. *Dunst* —4A **10**
Cutenhoe Rd. *Lut* —2J **21**
Cutlers Grn. *Lut* —3F **15**
Cut Throat Av. *Dunst* —7A **18**

Dagnall Rd. *Dunst* —7J **17**
Dahlia Clo. *Lut* —2B **14**
Dalby Clo. *Lut* —2K **11**
Dale Clo. *Dunst* —4H **11**
Dale Clo. *Tod* —6B **2**
Dale Rd. *Dunst* —4H **11**
Dale Rd. *Lut* —6G **13**
Dalling Dri. *H Reg* —7E **4**
Dallow Rd. *Lut* —5C **12**
Dalroad Ind. Est. *Lut* —5F **13**
Dane Rd. *Bar C* —2D **24**
Dane Rd. *Lut* —3F **13**
Danvers Dri. *Lut* —7E **4**
Darley Rd. *B Grn* —4H **15**
Darley Rd. *Lut* —4H **15**
Daubeney Clo. *Harl* —1H **3**
Dawlish Rd. *Lut* —2D **12**
Deacons Ct. *Lut* —5H **13**
Deep Denes. *Lut* —3A **14**
Delfield Gdns. *Cad* —2C **20**
Dellcot Clo. *Lut* —7B **8**
Dellfield Ct. *Lut* —3D **14**
Dellmont Rd. *Lut* —7D **4**
Dell Rd. *H Reg* —7D **4**
Dell, The. *Cad* —3C **20**
Dell, The. *Lut* —4F **15**
Delphine Clo. *Lut* —7F **13**
Denbigh Rd. *Lut* —4F **13**
Dencora Way. *Lut* —4K **5**
Denham Clo. *Lut* —4C **6**
  (in three parts)
Denmark Clo. *Lut* —3C **6**
Dennison Pl. *Lut* —7J **13**
Denton Clo. *Lut* —1K **11**
Derby Rd. *Lut* —3A **12**
Derwent Av. *Lut* —5F **7**
Derwent Dri. *Dunst* —1E **18**
Derwent Rd. *Lut* —5A **14**
Devon Rd. *Lut* —6A **14**
Dewsbury Rd. *Lut* —6F **7**
Dexter Clo. *Lut* —3F **7**
Ditchling Clo. *Lut* —2C **14**
Ditton Grn. *Lut* —2E **14**
Dolphin Dri. *H Reg* —7G **5**
Doo Lit. La. *Tot* —5H **17**
Dorchester Clo. *Dunst* —4D **10**
Dordans Rd. *Lut* —1C **12**
Dorel Clo. *Lut* —3K **13**
Dorrington Clo. *Lut* —4G **13**
Dorset Ct. *Lut* —7K **13**
  (off Kingsland Rd.)
Douglas Cres. *H Reg* —2C **10**
Douglas Rd. *Lut* —3E **12**
Dovedale. *Lut* —6J **7**
Dovehouse Clo. *Edl* —6F **17**
Dovehouse Hill. *Lut* —3B **14**
Dovehouse La. *Kens* —7E **18**
Dover Clo. *Lut* —2E **12**
Downalds. *Lut* —3A **6**
Downlands Ct. *Lut* —3J **11**
Downlands Pk. Homes. *Pep* —6G **21**
Downs Rd. *Dunst* —5F **11**
Downs Rd. *Lut* —6G **13**
Downs View. *Lut* —1B **12**
Downton Ct. *Lut* —4G **13**
Drapers M. *Lut* —2H **11**
Drayton Rd. *Lut* —2H **11**
Drovers Way. *Dunst* —4B **10**
Drury Clo. *H Reg* —7E **4**
Drury La. *Lut* —7E **4**
Duchess Ct. *Dunst* —4E **10**
Dudley St. *Lut* —5J **13**

Dukes Av. *Kens* —6A **18**
Dukes Ride. *Lut* —4H **13**
  (off Knights Field)
Duke St. *Lut* —5J **13**
Dumfries Ct. *Lut* —7H **13**
  (off Dumfries St.)
Dumfries St. *Lut* —7H **13**
Duncombe Clo. *Lut* —6G **7**
Duncombe Ct. *Dunst* —3G **11**
Duncombe Dri. *Dunst* —3G **11**
Dunmow Rd. *Lut* —3H **13**
Dunsby Rd. *Lut* —6E **6**
Dunsmore Rd. *Lut* —7F **13**
Dunstable Clo. *Lut* —4E **12**
Dunstable Ct. *Lut* —4D **12**
Dunstable Pl. *Lut* —6H **13**
Dunstable Rd. *Dunst & Cad* —1H **19**
  (Downside)
Dunstable Rd. *Dunst* —5G **17**
  (Eaton Bray)
Dunstable Rd. *Dunst* —7B **2**
  (Toddington)
Dunstable Rd. *H Reg* —2D **10**
Dunstable Rd. *Kens* —2B **18**
Dunstable Rd. *Lut & Cad* —3K **11**
Dunstable Rd. *Tot* —3J **17**
Dunstable St. *Mark* —6A **20**
Dunstall Rd. *Bar C* —3C **24**
Durbar Rd. *Lut* —4E **12**
Durham Rd. *Lut* —5A **14**
Durler Gdns. *Lut* —2K **13**
Duxford Clo. *Lut* —5F **7**
Dyers Rd. *Eat B* —3E **16**
Dylan Ct. *H Reg* —7E **4**

Eagle Clo. *Lut* —1J **11**
Earls Ct. *Dunst* —4E **10**
Earls Meade. *Lut* —4H **13**
Easedale Clo. *Dunst* —7C **10**
Easingwold Gdns. *Lut* —5D **12**
Eastcott Clo. *Lut* —4D **14**
East End. *H Reg* —7E **4**
Eastern Av. *Dunst* —5F **11**
Eastfield Clo. *Lut* —1C **14**
East Hill. *Lut* —6F **7**
Easthill Rd. *H Reg* —7E **4**
East St. *Lil* —2D **8**
Easy Way. *Lut* —6D **14**
Eaton Bray Rd. *Eat B* —2E **16**
Eaton Bray Rd. *N'all* —6C **16**
Eaton Grn. Rd. *Lut* —5C **14**
Eaton Pk. *Eat B* —4F **17**
Eaton Pl. *Lut* —4D **14**
Eaton Valley Rd. *Lut* —4B **14**
Ebenezer St. *Lut* —7H **13**
Eddiwick Av. *H Reg* —5F **5**
Edgecote Rd. *Cad* —3C **20**
Edgecott Clo. *Lut* —3F **7**
Edgehill Gdns. *Lut* —4A **6**
Edgewood Dri. *Lut* —6C **8**
Edkins Clo. *Lut* —7J **7**
Edward St. *Dunst* —4C **10**
Edward St. *Lut* —4K **13**
Egdon Dri. *Lut* —6H **7**
Eighth Av. *Lut* —6D **10**
Elaine Gdns. *Wood* —5E **20**
Elderberry Clo. *Lut* —1B **14**
Eldon Rd. *Lut* —3A **12**
Eleanor Ct. *Dunst* —5D **10**
Eleanors St. *Dunst* —5D **10**
  (off Albion St.)
Eleanors Cross. *Dunst* —5D **10**
Elgar Path. *Lut* —5J **13**
Elizabeth Ct. *Lut* —7H **13**
  (off Chapel St.)
Elizabeth St. *Lut* —7H **13**
Ella Ct. *Lut* —4K **13**
Ellenhall Clo. *Lut* —4G **13**
Ellerdine Clo. *Lut* —1F **13**
Ellesmere Clo. *Tot* —4J **17**
Elm Av. *Cad* —2C **20**
Elmfield Ct. *Lut* —4A **14**
Elm Gro. *Tod* —5B **2**
Elmore Rd. *Lut* —4A **14**
Elm Pk. Clo. *H Reg* —6F **5**
Elmside. *Kens* —6G **19**
Elmtree Av. *C'hoe* —2E **14**
Elmwood Clo. *Lut* —1J **13**
Elveden Clo. *Lut* —6J **7**
Elvington Gdns. *Lut* —3F **7**
Ely Way. *Lut* —1B **12**
Emerald Rd. *Lut* —3H **11**
Emmer Grn. *Lut* —3F **15**
Empress Rd. *Lut* —1C **12**
Enderby Rd. *Lut* —5G **7**
Enfield Clo. *H Reg* —6F **5**

Englands Av. *Dunst* —2B **10**
Englands La. *Dunst* —5E **10**
Englefield. *Lut* —2A **14**
Ennerdale Av. *Dunst* —6D **10**
Ennismore Grn. *Lut* —4F **15**
Enslow Clo. *Cad* —3C **20**
Enterprise Way. *Lut* —4F **7**
Epping Way. *Lut* —3A **6**
Ereswell Rd. *Lut* —5E **6**
Erin Clo. *Lut* —3E **12**
Erin Ct. *Lut* —3E **12**
Escarpment Av. *Dunst* —6A **18**
Eskdale. *Lut* —7A **6**
Essex Clo. *Lut* —7K **13**
Essex Ct. *Lut* —7J **13**
Evans Clo. *H Reg* —1G **11**
Evedon Clo. *Lut* —6D **6**
Evelyn Rd. *Dunst* —3H **11**
Evendale. *Lut* —7A **6**
Evergreen Way. *Lut* —4E **6**
Excell Pl. *Lut* —7A **6**
Exton Av. *Lut* —4A **14**
Eyncourt Rd. *Dunst* —3E **10**

Fairfax Av. *Lut* —5B **6**
Fairfield Clo. *Dunst* —4H **11**
Fairfield Rd. *Dunst* —4G **11**
Fairford Av. *Lut* —7J **7**
Fairgreen Rd. *Cad* —3D **20**
Fair Oak Ct. *Lut* —2K **13**
  (off Fair Oak Dri.)
Fair Oak Dri. *Lut* —2K **13**
Fairview Trad. Est. *Dunst* —4E **10**
Falcon Dri. *Dunst* —4C **10**
Falconers Rd. *Lut* —4B **14**
Faldo Rd. *Bar C* —1A **24**
  (in two parts)
Fallowfield. *Lut* —1F **13**
Falstone Grn. *Lut* —3E **14**
Fareham Way. *H Reg* —7G **5**
Faringdon Rd. *Lut* —2A **12**
Farley Ct. *Lut* —1G **21**
Farley Farm Rd. *Lut* —1F **21**
Farley Hill. *Lut* —2F **21**
Farley Lodge. *Lut* —1H **21**
Farmbrook. *Lut* —5H **7**
Farm Clo. *H Reg* —7E **4**
Farm Grn. *Lut* —1G **21**
Farm Rd. *Lut* —6A **22**
Farrow Clo. *Lut* —3G **7**
Farr's La. *E Hyde* —7F **23**
Felbrigg Clo. *Lut* —3F **15**
Felix Av. *Lut* —3A **14**
Felmersham Ct. *Lut* —6F **7**
Felmersham Rd. *Lut* —6E **12**
Felstead Clo. *Lut* —2J **13**
Felstead Way. *Lut* —2K **13**
Felton Clo. *Lut* —4D **14**
Fensome Dri. *H Reg* —7G **5**
Fenwick Clo. *Lut* —7F **7**
Fenwick Rd. *H Reg* —7G **5**
Fermor Cres. *Lut* —4C **14**
Ferndale Rd. *Lut* —6F **13**
Fernheath. *Lut* —3E **6**
Ferrars Clo. *Lut* —4K **11**
Field End Clo. *Lut* —1C **14**
Field Fare Grn. *Lut* —7C **8**
Fieldgate Rd. *Lut* —2B **12**
Filliano Ct. *Lut* —4H **13**
  (off Cromwell Hill)
Filmer Rd. *Lut* —1C **12**
Finch Clo. *Lut* —4J **7**
Finsbury Rd. *Lut* —7B **6**
Finway. *Lut* —5D **12**
Firbank Clo. *Lut* —3A **6**
Firbank Ind. Est. *Lut* —5E **12**
First Av. *Lut* —6D **10**
Fitzroy Av. *Lut* —2F **13**
Fitzwarin Clo. *Lut* —4C **6**
Five Oaks. *Cad* —3D **20**
Five Springs. *Lut* —6C **6**
Five Springs Ct. *Lut* —6C **6**
Flint Clo. *Lut* —5C **6**
  (in three parts)
Flint Ct. *Lut* —1H **21**
  (off Farley Hill)
Florence Av. *Lut* —5B **6**
Flowers Ind. Est. *Lut* —7J **13**
Flowers Way. *Lut* —6J **13**
Folly La. *Cad* —2C **20**
Forge Clo. *Chal* —2G **5**
Forrest Cres. *Lut* —2A **14**
Foster Av. *H Reg* —7E **10**
Foster Clo. *Harl* —1H **3**
Foston Clo. *Lut* —6D **6**
Fountains Rd. *Lut* —2G **13**

Fourth Av. *Lut* —5A **6**
Foxbury Clo. *Lut* —6H **7**
Fox Dells. *Dunst* —1E **18**
Foxhill. *Lut* —7J **7**
Frances Ashton Ho. *Dunst* —5D **10**
(off Bullpond La.)
Francis St. *Lut* —5G **13**
Frank Hamel Ct. *Bar C* —3C **24**
Frank Lester Way. *Lut* —5D **14**
Franklin Rd. *Dunst* —5B **10**
Frederick St. *Lut* —5J **13**
Frederick St. Pas. *Lut* —4J **13**
Freeman Av. *Lut* —4F **7**
Frenchmans Clo. *Tod* —6A **2**
Frenchmans Clo. *Tod* —6A **2**
French's Av. *Dunst* —3A **10**
Freshwater Clo. *Lut* —5D **6**
Friars Clo. *Lut* —1F **21**
Friars Ct. *Lut* —1F **21**
Friars Wlk. *Dunst* —6D **10**
Friars Way. *Lut* —1F **21**
Friary Field. *Dunst* —5D **10**
Friesian Clo. *Lut* —2J **11**
Friston Grn. *Lut* —4D **14**
Frome Clo. *Lut* —1C **12**
Front St. *S End* —5G **21**
Fulbourne Clo. *Lut* —3C **12**
Furlong La. *Tot* —3J **17**
Furness Av. *Dunst* —6E **10**
Furrows, The. *Lut* —5F **7**
Furze Clo. *Lut* —5H **7**
Furzen Clo. *Dunst* —1E **18**

Gable Way. *H Reg* —6E **4**
(off Sycamore Rd.)
Gadsby Ct. *Lut* —7H **13**
(off Wellington St.)
Gainsborough Ct. *Lut* —3K **13**
Gainsborough Dri. *H Reg* —7F **5**
Gaitskill Ter. *Lut* —5K **13**
Gale Ct. *Bar C* —3C **24**
Gallery, The. *Lut* —6J **13**
(off Arndale Cen., The.)
Galliard Clo. *Lut* —1F **13**
Galston Rd. *Lut* —4B **6**
Garden Ct. *Lut* —1F **21**
(off Gardenia Av.)
Gardenia Av. *Lut* —1D **12**
Gardenia Av. Pas. *Lut* —1E **12**
Garden Rd. *Dunst* —6E **10**
Gardner Ct. *Lut* —2J **21**
Gardners Clo. *Dunst* —6A **10**
Garfield Ct. *Lut* —2D **14**
Garrett Clo. *Dunst* —1F **19**
Garretts Mead. *Lut* —2B **14**
Garter Ct. *Lut* —4H **13**
(off Knights Field)
Gas Works Path. *Lut* —5H **13**
Gatehill Gdns. *Lut* —3F **7**
Gayland Av. *Lut* —5B **14**
Gayton Clo. *Lut* —1F **13**
Gelding Clo. *Lut* —7H **5**
George St. *Dunst* —4D **10**
George St. *Lut* —6J **13**
George St. W. *Lut* —6J **13**
Gilded Acre. *Dunst* —1E **18**
Gilder Clo. *Lut* —4E **6**
Gilderdale. *Lut* —6K **5**
Gillam St. *Lut* —5J **13**
Gillan Way. *H Reg* —6G **5**
(off Houghton Pk. Rd.)
Gilpin Clo. *H Reg* —7F **5**
Gilpin St. *Dunst* —3C **10**
Gipsy La. *Lut* —7A **14**
Gladstone Av. *Lut* —6G **13**
Glaisdale. *Lut* —7A **6**
Glebe Gdns. *Harl* —1H **3**
Glemsford Clo. *Lut* —6K **5**
Gleneagles Dri. *Lut* —6J **7**
Glenfield Rd. *Lut* —6G **7**
Glen, The. *Cad* —3C **20**
Gloucester Rd. *Lut* —7K **13**
Godfreys Clo. *Lut* —7F **13**
Godfreys Ct. *Lut* —7F **13**
Goldcrest Clo. *Lut* —7J **5**
Goldstone Cres. *Dunst* —3F **11**
Good Intent. *Edl* —6E **16**
Good Intent, The. *Edl* —6E **16**
Gooseberry Hill. *Lut* —6F **7**
Gordon Rd. *Lut* —6H **13**
Gorham Way. *Dunst* —3H **11**
Goshawk Clo. *Lut* —1J **11**
Gosling Av. *Offl* —2J **9**
Goswell End Rd. *Harl* —1H **3**
Graham Clo. *Lut* —1G **13**
Graham Rd. *Dunst* —6G **11**

Grampian Way. *Lut* —4A **6**
Granby Rd. *Lut* —2B **12**
Grange Av. *Lut* —1B **12**
Grange Gdns. *Tod* —5B **2**
Grange Rd. *Bar C* —2B **24**
Grange Rd. *Tod* —5B **2**
Grange, The. *Lut* —6B **2**
Grange Wlk. *Tod* —5B **2**
Grange Way. *H Reg* —6G **5**
Gransden Clo. *Lut* —5E **6**
Grantham Rd. *Lut* —4E **12**
Granville Rd. *Lut* —5F **13**
Graphic Clo. *Dunst* —7F **11**
Grasmere Av. *Lut* —5F **7**
Grasmere Clo. *Dunst* —6D **10**
Grasmere Rd. *Lut* —5F **7**
Grasmere Wlk. *H Reg* —6E **4**
(off Sycamore Rd.)
Grays Clo. *Bar C* —2C **24**
Gt. Northern Rd. *Dunst* —6E **10**
Green Acres. *Lil* —2D **8**
Greenacres Caravan Site. *Kens*
—6H **19**
Green Bushes. *Lut* —6B **6**
Green Clo. *Lut* —7A **6**
Green Ct. *Lut* —7A **6**
Greenfield Clo. *Dunst* —4A **10**
Greengate. *Lut* —4A **6**
Greenhill Av. *Lut* —2H **13**
Green La. *Dunst* —1J **17**
Green La. *Kens* —6G **19**
Green La. *Lut* —1B **14**
Green Oaks. *Lut* —2K **13**
Greenriggs. *Lut* —3F **15**
Green, The. *Cad* —2C **20**
Green, The. *Edl* —7F **17**
Green, The. *H Reg* —1E **10**
Green, The. *Lut* —7A **14**
Green, The. *P Grn* —3J **23**
Greenways. *Eat B* —3D **16**
Greenways. *Lut* —7B **8**
Gregories Clo. *Lut* —4H **13**
Gresham Clo. *Lut* —5D **14**
Grosvenor Rd. *Lut* —7F **7**
Grovebury Clo. *Dunst* —7F **11**
Grove Caravan Site. *Wood* —3F **21**
Grove End. *Lut* —1F **21**
Grove Pk. Rd. *Wood* —3F **21**
Grove Rd. *Dunst* —6F **11**
Grove Rd. *H Reg* —5E **4**
Grove Rd. *Lut* —6H **13**
Grove Rd. *S End* —4F **21**
Grove, The. *Lut* —1F **21**
Guardian Ind. Est. *Lut* —5G **13**
Guernsey Clo. *Lut* —2H **11**
Guildford St. *Lut* —5J **13**
Gurney Ct. *Eat B* —4F **17**

Haddon Rd. *Lut* —5K **13**
Hadley Ct. *Lut* —4H **13**
(off Malzeard Rd.)
Hadlow Down Clo. *Lut* —7E **6**
Hadrian Av. *Dunst* —3G **11**
Hagdell Rd. *Lut* —1G **21**
Half Moon La. *Dunst* —6F **11**
Half Moon La. *Pep* —6G **21**
Halfway Av. *Lut* —4B **12**
Halley's Way. *H Reg* —1F **11**
Hallwicks Rd. *Lut* —2B **14**
Halyard Clo. *Lut* —6F **7**
Hambling Pl. *Dunst* —5B **10**
Hambro Clo. *E Hyde* —7F **23**
Hamer Ct. *Lut* —4H **7**
Hammersmith Ho. *H Reg* —7E **4**
Hammersmith Gdns. *H Reg* —6E **4**
Hammond Ct. *S End* —5G **21**
Hampshire Clo. *Lut* —3B **6**
Hampton Rd. *Lut* —4F **13**
Hancock Dri. *Lut* —6J **7**
Handcross Rd. *Lut* —2D **14**
Hanover Ct. *Lut* —7B **6**
Hanover Pl. *Bar C* —1C **24**
Hanswick Clo. *Lut* —5H **7**
Hanworth Rd. *Lut* —5H **7**
Harbury Dell. *Lut* —5F **7**
Harcourt St. *Lut* —1J **21**
Harding Clo. *Lut* —5C **6**
Hardwick Grn. *Lut* —5E **6**
Harefield Rd. *Lut* —5D **12**
Harlestone Clo. *Lut* —3E **6**
Harling Rd. *Eat B* —6G **17**
Harlington Rd. *S'dn* —5K **3**
Harlington Rd. *Tod* —4C **2**
Harold Ct. *Bar C* —2C **24**
Harrington Heights. *H Reg* —7C **4**
Harris Clo. *Bar C* —1C **24**

Harris La. *Lut* —1A **14**
Harris La. *Offl* —2K **9**
Harris La. *Offl* —2K **9**
Harrowden Ct. *Lut* —5B **14**
Harrowden Rd. *Lut* —5B **14**
Harry Scott Ct. *Lut* —6A **6**
Hart Hill Dri. *Lut* —5K **13**
Hart Hill La. *Lut* —5K **13**
Hart Hill Path. *Lut* —5K **13**
Hart La. *Lut* —4A **14**
Hartley Rd. *Lut* —5K **13**
Hartop Ct. *Lut* —5D **14**
Hartsfield Rd. *Lut* —3A **14**
Hart Wlk. *Lut* —4A **14**
Hartwood. *Lut* —5K **13**
(off Hart Hill Dri.)
Harvest Clo. *Lut* —2J **11**
Harvey Rd. *Dunst* —3K **17**
Harvey's Hill. *Lut* —7K **7**
Hasketon Dri. *Lut* —6K **5**
Hastings Rd. *Bar C* —2C **24**
Hastings St. *Lut* —7H **13**
Hathaway Clo. *Lut* —3K **11**
Hatters Way. *Lut* —4K **11**
Havelock Rise. *Lut* —4J **13**
Havelock Rd. *Lut* —4J **13**
Haverdale. *Lut* —1A **12**
Hawkfields. *Lut* —6J **7**
Hawthorn Av. *Lut* —1B **14**
Hawthorn Clo. *Dunst* —6E **10**
Hawthorn Cres. *Cad* —3C **20**
Haycroft. *Lut* —6J **7**
Hayes Clo. *Lut* —7B **8**
Hayhurst Rd. *Lut* —3K **11**
Hayley Ct. *H Reg* —6E **4**
Hayling Dri. *Lut* —2D **14**
Haymarket Rd. *Lut* —1G **11**
Hayton Clo. *Lut* —2F **7**
Hazelbury Cres. *Lut* —5G **13**
Hazelwood Clo. *Lut* —1B **14**
Heacham Clo. *Lut* —1K **11**
Heath Clo. *Lut* —7A **6**
Heather Mead. *Eat B* —5E **16**
Heathfield Clo. *Cad* —2D **20**
Heathfield Path. *Lut* —2D **20**
Heathfield Rd. *Lut* —1G **13**
Heath Rd. *B Grn* —4K **15**
Heath, The. *B Grn* —4K **15**
Heaton Dell. *Lut* —4E **14**
Hebden Clo. *Lut* —1K **11**
Hedley Rise. *Lut* —3E **14**
Heights, The. *Lut* —7C **6**
(off Marsh Rd.)
Helmsley Clo. *Lut* —7A **6**
Hemingford Dri. *Lut* —6H **7**
Henge Way. *Lut* —5B **6**
Henley Clo. *H Reg* —7G **5**
Henstead Pl. *Lut* —4D **14**
Hereford Rd. *Lut* —2J **11**
Herne Clo. *Tod* —4B **2**
Heron Dri. *Lut* —6J **7**
Heron Trading Est., The. *Lut* —5A **6**
Heswall Ct. *Lut* —7K **13**
(off Bailey St.)
Hewlett Rd. *Lut* —7C **6**
Hexton Rd. *Bar C* —3K **24**
Heywood Dri. *Lut* —3K **13**
Hibbert St. *Lut* —7J **13**
Hibbert St. Pas. *Lut* —7J **13**
(off Hibbert St.)
Hickling Clo. *Lut* —4D **14**
Hickman Ct. *Lut* —4B **6**
Higham Dri. *Lut* —4D **14**
Higham Rd. *Bar C* —1C **24**
High Beech Rd. *Lut* —5B **6**
Highbury Rd. *Lut* —4G **13**
Highfield Rd. *Lut* —4F **13**
Highfields Clo. *Dunst* —3J **11**
High Mead. *Lut* —2E **12**
Highover Clo. *Lut* —4B **14**
High Point. *Lut* —7H **13**
(off Ruthin Clo.)
High Ridge. *Lut* —4C **14**
High St. Eaton Bray, *Eat B* —4D **16**
High St. Edlesborough, *Edl* —7E **16**
High St. Great Offley, *Offl* —1J **9**
High St. Houghton Regis, *H Reg*
—1D **10**
High St. Luton, *Lut* —2A **12**
High St. N. *Dunst* —5D **10**
High St. S. *Dunst* —5D **10**
High St. Toddington, *Tod* —6B **2**
High Town Rd. *Lut* —5J **13**
High Wood Clo. *Lut* —6D **12**
Hillary Clo. *Lut* —5B **6**
Hillary Cres. *Lut* —7G **13**
Hillborough Cres. *H Reg* —5E **4**

Hillborough Rd. *Lut* —7H **13**
Hill Clo. *Lut* —5G **7**
Hill Clo. *W'fld* —3A **4**
Hillcrest Av. *Lut* —4G **7**
Hillcrest Caravan Pk. *Wood* —4D **20**
Hillcroft. *Dunst* —4A **10**
Hillcroft Clo. *Lut* —6A **6**
Hill Rise. *Lut* —5A **6**
Hill Side. *H Reg* —7D **4**
Hillside Rd. *Dunst* —6F **11**
Hillside Rd. *Lut* —4H **13**
Hills View. *S'dn* —7K **3**
Hilltop Cotts. *Offl* —1J **9**
Hilltop Ct. *Lut* —6G **13**
Hillview Cres. *Lut* —5G **7**
Hillyfields. *Dunst* —7E **10**
Hilton Av. *Dunst* —7D **10**
Hinton Wlk. *H Reg* —6G **5**
Hitchin Rd. *Lut* —2A **14**
Hitchin Rd. Ind. Est. *Lut* —4K **13**
(off Hitchin Rd.)
Hockwell Ring. *Lut* —7K **5**
Holford Clo. *Lut* —1H **21**
Holford Way. *Lut* —3F **7**
Holgate Dri. *Lut* —2K **11**
Holkham Clo. *Lut* —1J **11**
Holland Rd. *Lut* —3F **13**
Hollick's La. *Kens* —5F **19**
Holliwick Rd. *Dunst* —3G **11**
Hollybush Hill. *Lut* —3F **9**
Hollybush Rd. *Lut* —4C **14**
Holly Farm Clo. *Cad* —3C **14**
Holly La. *Hpdn* —7K **23**
Holly St. *Lut* —7J **13**
Holly St. Trading Est. *Lut* —7J **13**
Holmbrook Av. *Lut* —7C **6**
Holmfield Clo. *Tod* —6A **2**
Holmfield Clo. *Tod* —6A **2**
Holmscroft Rd. *Lut* —6D **6**
Holmwood Clo. *Dunst* —3F **11**
Holts Ct. *Dunst* —4D **10**
Holtsmere Clo. *Lut* —4D **14**
Holywell Ct. *Lut* —1F **13**
Holywell Rd. *Stud* —7D **18**
Home Clo. *Lut* —1A **12**
Home Ct. *Lut* —1A **12**
Homedale Dri. *Lut* —3B **12**
Homerton Rd. *Lut* —6E **6**
Homestead Way. *Lut* —1G **21**
Honeygate. *Lut* —1J **13**
Honeysuckle La. *Offl* —1H **9**
Honeywick La. *Eat B* —2E **16**
Hoo Cotts. *Offl* —3K **9**
Hoo Farm Cotts. *Offl* —3K **9**
Hookers Ct. *Lut* —7A **6**
(off Acworth Cres.)
Hoo La. *Offl* —3K **9**
Hoo St. *Lut* —1J **21**
Horace Brightman Clo. *Lut* —5E **6**
Hornsby Clo. *Lut* —4C **14**
Horsham Clo. *Lut* —3D **14**
Horsler Clo. *Bar C* —3C **24**
Houghton Ct. *H Reg* —1E **10**
Houghton Pde. *Dunst* —3C **10**
Houghton Pk. Rd. *H Reg* —6G **5**
Houghton Rd. *Dunst* —3C **10**
Howard Clo. *Lut* —1E **12**
Howard Pl. *Dunst* —6F **11**
Hoylake Ct. *Lut* —1K **21**
Huckleberry Clo. *Lut* —4E **6**
Humberstone Rd. *Lut* —3C **12**
Humberstone Rd. *Lut* —3C **12**
Humphrey Talbot Av. *Kens* —7B **18**
Humphrys Rd. *Wood E* —2F **11**
Hunston Clo. *Lut* —7K **5**
Hunts Clo. *Lut* —7G **13**
Hurlock Way. *Lut* —7A **6**
Hurst Way. *Lut* —7C **6**
Hyde La. *Lut* —4H **23**
Hyde Rd. *Cad* —2C **20**
Hyde, The. *Tod* —7B **2**

Ickley Clo. *Lut* —7K **5**
Icknield Rd. *Lut* —1D **12**
Icknield St. *Dunst* —5D **10**
Icknield Way. *Lut* —6E **6**
Idenbury Ct. *Lut* —6G **13**
Ilford Clo. *Lut* —2C **14**
Imberfield. *Lut* —2A **12**
Index Ct. *Dunst* —6F **11**
Index Dri. *Dunst* —6F **11**
Ingleton. *Lut* —1K **11**
Ingram Gdns. *Lut* —5H **7**
Inkerman St. *Lut* —6H **13**
Isle of Wight La. *Kens* —2B **18**
Ivel Clo. *Bar C* —2D **24**

Ivinghoe Bus. Cen. H Reg —2D 10
Ivy Clo. Dunst —4A 10
Ivy Rd. Lut —5G 13

Jacksons Clo. Edl —6E 16
James Ct. Lut —3K 11
Jardine Way. Dunst —6G 11
Jasmine Clo. Lut —1K 13
Jaywood. Lut —6C 8
Jeans Way. Dunst —5G 11
Jersey Rd. Lut —2J 11
Jillifer Rd. Lut —2D 14
Johnson Ct. H Reg —7F 5
John St. Lut —6J 13
Jubilee St. Lut —4K 13
Julius Gdns. Lut —5D 6
Juniper Clo. Lut —3C 12

Katherine Dri. Dunst —3G 11
Keaton Clo. H Reg —7F 5
Keeble Clo. Lut —4E 14
Keepers Clo. Lut —3C 14
Kelling Clo. Lut —4G 7
Kelvin Clo. Lut —7J 13
Kempsey Clo. Lut —3D 14
Kendal Clo. Lut —5B 6
Kendale Rd. Lut —3K 11
Kenilworth Rd. Lut —5G 13
Kenneth Rd. Lut —4A 14
Kennington Rd. Lut —2F 13
Kensington Clo. H Reg —1G 11
Kensworth Ho. Kens —4J 19
Kent Rd. H Reg —6F 5
Kent Rd. Lut —5D 12
Kentwick Sq. H Reg —5F 5
Kernow Ct. Lut —4A 14
Kershaw Clo. Lut —4E 6
Kestrel Way. Lut —7J 5
Keswick Clo. Dunst —6D 10
Ketton Clo. Lut —6A 14
Ketton Ct. Lut —6A 14
Keymer Clo. Lut —2C 14
Kidner Clo. Lut —7J 7
Kilmarnock Dri. Lut —7J 7
Kimberley Clo. Lut —2G 11
Kimberwell Clo. Lut —7B 2
Kimpton Bottom. Hpdn —7K 23
Kimpton La. Lut —6D 14
Kimpton Rd. Lut —7A 14
Kimpton Rd. P Grn & Kim —3J 23
Kingham Way. Lut —4J 13
Kingsbury Av. Dunst —4G 11
Kingsbury Ct. Dunst —4E 10
Kingsbury Gdns. Dunst —4H 11
Kings Ct. Dunst —4E 10
Kingscroft Av. Dunst —4D 10
Kingsdown Av. Lut —1H 13
Kingshill La. Lut —1C 8
Kingsland Ct. Lut —7K 13
(off Kingsland Rd.)
Kingsland Rd. Lut —7K 13
Kingsley Rd. Lut —7E 6
Kings Mead. Edl —7E 16
Kingsmead Ct. Dunst —3C 10
Kingston Rd. Lut —4K 13
King St. Dunst —5E 10
(Dunstable)
King St. Dunst —1D 10
(Houghton Regis)
King St. Lut —6J 13
King's Waldon Rd. Offl —2J 9
Kingsway. Dunst —4E 10
Kingsway. Lut —4E 12
Kingsway Ind. Est. Lut —5E 12
King William Clo. Bar C —1D 24
Kinmoor Clo. Lut —3B 6
Kinross Cres. Lut —4A 6
Kirby Dri. Lut —3D 6
Kirby Rd. Dunst —5C 10
Kirkdale Ct. Lut —7J 13
(off Albert Rd.)
Kirkstone Dri. Dunst —7D 10
Kirkwood Rd. Lut —2G 11
Kirton Way. H Reg —6G 5
Knights Clo. Eat B —5E 16
Knights Ct. Eat B —5E 16
Knights Field. Lut —4H 13
Knoll Rise. Lut —1J 13
Knolls Av. Tot —1F 17
Knolls View. Lut —1F 17
Knotts Clo. Dunst —1E 18
Kynance Clo. Lut —2A 14

Laburnum Clo. Lut —5G 7

Laburnum Gro. Lut —5F 7
Lachbury Clo. Lut —7E 12
Ladyhill. Lut —6K 5
Lady Yules Wlk. Kens —6A 18
Lakefield Av. Tod —6B 2
Lalleford Rd. Lut —4C 14
Lambourn Dri. Lut —6J 7
Lambs Clo. Dunst —4H 11
Lamers Rd. Lut —3B 14
Lamorna Clo. Lut —6D 6
Lancaster Av. Lut —4G 7
Lancaster Rd. Bar C —1D 24
Lancing Rd. Lut —2D 14
Lancot Av. Dunst —6A 10
Lancotbury Clo. Tot —3J 17
Lancot Dri. Dunst —5B 10
Lancrets Path. Lut —6H 13
Landrace Rd. Lut —1G 11
Lane, The. Chal —3G 5
Langdale Clo. Dunst —6E 10
Langdale Rd. Dunst —6D 10
Langford Dri. Lut —2A 14
Langham Clo. Lut —5H 7
Langley St. Lut —7J 13
Langley Ter. Ind. Pk. Lut —7J 13
(off Latimer Rd.)
Langridge Ct. Dunst —4B 10
Lansdowne Rd. Lut —4G 13
Laporte Way. Lut —4D 12
Lapwing Rd. Lut —1J 11
Larches, The. Lut —4H 13
Larkspur Gdns. Lut —3D 12
Latimer Rd. Lut —7J 13
Launton Clo. Lut —3F 7
Laurelside Wlk. Dunst —3J 11
Laurels, The. Lut —1B 12
Lavender Clo. Lut —5J 7
Lawford Clo. Lut —6G 13
Lawn Gdns. Lut —1H 21
Lawn Path. Lut —3G 21
Lawns Clo. Offl —2J 9
Lawns, The. Dunst —4D 10
Lawrence End Rd. P Grn —3J 23
Lawrence Ind. Est. Dunst —3B 10
Lawrence Way. Dunst —3B 10
Laxton Clo. Lut —4A 14
Layham Dri. Lut —4D 14
Leabank. Lut —6C 6
(off Penhill)
Lea Bank Ct. Lut —6C 6
Leafield. Lut —6C 6
Leafields. H Reg —6E 4
Leaf Rd. H Reg —6D 4
Leagrave High St. Lut —2H 11
Leagrave Rd. Lut —2E 12
Leamington Rd. Lut —5E 6
Lea Rd. Lut —6K 13
Leaside. H Reg —6G 5
Leathwaite Clo. Lut —6D 6
Ledwell Rd. Cad —3D 20
Leghorn Cres. Lut —2J 11
Leicester Rd. Lut —4C 12
Leigh Clo. Tod —5B 2
Leighton Ct. Dunst —5C 10
Leighton Rd. Dunst —4A 16
Leighton Rd. L Buzz —6A 2
Leighton Rd. Tod —6A 2
Lennon Ct. Lut —6H 13
Lennox Grn. Lut —3F 15
Lesbury Clo. Lut —4E 14
Leston Clo. Dunst —1F 19
Letchworth Rd. Lut —1E 12
Lewsey Pk. Ct. Lut —1J 11
Lewsey Rd. Lut —2K 11
Leyburne Rd. Lut —6F 7
Leygreen Clo. Lut —5A 14
Leyhill Dri. Lut —2F 21
Library Rd. Lut —6J 13
Liddel Clo. Lut —2F 13
Lidgate Clo. Lut —6K 5
Lighthorne Rise. Lut —4E 6
Lilac Gro. Lut —3A 6
Lilley Bottom. Lil & K Wal —3E 8
Lilleyhoo La. Lut —2F 9
Lilleyhoo La. Lut —2F 9
Limbury Mead. Lut —6D 6
Limbury Rd. Lut —1D 12
Lime Av. Lut —2K 13
Lime Clo. Bar C —2C 24
Limetree Av. Lut —7A 22
Lime Tree Clo. Lut —3A 6
Limetree Clo. Lut —3A 6
Lime Wlk. Dunst —5F 11
Linacres. Lut —1B 12
Linbridge Way. Lut —3E 14
Lincoln Clo. Dunst —1G 19
Lincoln Rd. Lut —4F 13

Lincoln Way. Harl —1H 3
Linden Clo. Dunst —4H 11
Linden Ct. Lut —6K 13
(off Crescent Rd.)
Linden Rd. Dunst —3H 11
Linden Rd. Lut —1B 12
Lindens, The. H Reg —1D 10
Lindsey Rd. Lut —4D 14
Links Way. Lut —4H 7
Link, The. H Reg —7D 4
Linley Dell. Lut —3D 14
Linmere Wlk. H Reg —6G 5
Linnet Clo. Lut —1J 11
Lippitts Hill. Lut —7J 7
Liscombe Rd. Dunst —4G 11
Liston Clo. Lut —7K 5
Lit. Berries. Lut —5C 6
Lit. Church Rd. Lut —2B 14
Littlefield Rd. Lut —2B 14
Littlegreen La. Cad —4C 20
Lit. Meadow Caravan Pk. Wood
—3E 20
Lit. Wood Croft. Lut —5C 6
Liverpool Rd. Lut —6H 13
Locarno Av. Lut —6A 6
Lockhart Clo. Dunst —7G 11
Lockington Cres. Dunst —3G 11
Loftus Clo. Lut —2K 11
Lollard Clo. Lut —2G 11
London Luton Airport. Lut —6E 14
London Rd. Dunst —6F 11
London Rd. Lut —1H 21
Longbrooke. H Reg —1F 11
Long Clo. Lut —2C 14
Long Croft Rd. Lut —6E 12
Longfield Dri. Lut —4B 12
Long Hedge. Dunst —5F 11
Long La. Tod & MK17 —4B 2
Long Mead. H Reg —6D 4
Long Meadow. Dunst —5C 10
Longmeadow. H Reg —7G 5
Lonsdale Clo. Lut —7E 6
Lorimer Clo. Lut —6J 7
Loring Rd. Dunst —4B 10
Lothair Rd. Lut —1A 14
Lovers Wlk. Dunst —5E 10
Lovett Way. Wood E —2F 11
Lwr. Harpenden Rd. Lut & E Hyde
—1B 22
Lowry Dri. H Reg —7F 5
Lowther Rd. Dunst —7E 10
Lucas Gdns. Lut —4F 7
Lucerne Way. Lut —1G 13
Ludlow Av. Lut —2J 21
Ludun Clo. Dunst —5G 11
Lullington Clo. Lut —2C 14
Luton Dri., The. Lut —2B 22
Luton Rd. Cad —2C 20
Luton Rd. C'hoe —2E 14
Luton Rd. Dunst —4F 11
Luton Rd. Lut & Bar C —7A 24
Luton Rd. Mark —7C 20
Luton Rd. Offl —2G 9
Luton Rd. Tod & Chal —5C 2
Luton White Hill. Lut & Offl —4G 9
Luxembourg Clo. Lut —4B 6
Lychgate. S'dn —7K 3
Lye Hill. B Grn —6K 15
Lye Hill. Lut —6K 15
Lygetun Dri. Lut —4E 14
Lynch Hill. Kens —6H 19
Lynch, The. Kens —4H 19
Lyndhurst Rd. Lut —6G 13
Lyneham Rd. Lut —4A 14
Lynwood Av. Lut —2K 13
Lynwood Lodge. Dunst —4C 10

Macaulay Rd. Lut —3J 11
Magpies, The. Lut —6J 7
Maidenbower Av. Dunst —4B 10
Maidenhall Rd. Lut —3E 12
Malham Clo. Lut —3D 12
Mallard Gdns. Lut —7E 6
Mallow, The. Lut —2D 12
Mall, The. Dunst —4E 10
Malthouse Grn. Lut —4F 15
Maltings, The. Dunst —4C 10
Malvern Rd. Lut —4H 13
Malzeard Ct. Lut —4H 13
(off Malzeard Rd.)
Malzeard Rd. Lut —4H 13
Manchester Pl. Dunst —4D 10
Manchester St. Lut —6J 13
Mancroft Rd. Cad & Al G —3B 20
Mander Clo. Tod —5B 2
Mangrove Rd. C'hoe —1E 14

Mangrove Rd. Lut —2B 14
Manning Ct. H Reg —7E 4
Manor Clo. Harl —1H 3
Manor Ct. H Reg —1D 10
Manor Ct. Cad —2D 20
Manor Farm Clo. Bar C —2C 24
Manor Farm Clo. Lut —2A 12
Manor Pk. H Reg —1D 10
Manor Rd. Bar C —2C 24
Manor Rd. Cad —2C 20
Manor Rd. L Sun —1K 5
Manor Rd. Lut —7K 13
Manor Rd. Tod —4B 2
Mansfield Rd. Lut —4F 13
Manshead Ct. Dunst —7G 11
Manton Dri. Lut —1H 13
Manx Clo. Lut —3E 12
Maple Rd. E. Lut —5F 13
Maple Rd. W. Lut —5F 13
Maple Way. H Reg —6G 5
Maple Way. Kens —6G 19
Marbury Pl. Lut —7D 6
Mardale Av. Dunst —7E 10
Marina Dri. Dunst —6A 10
Market Hall. Lut —6J 13
Market Pl. Eat B —4D 16
Market Sq. Lut —7F 13
Market Sq. Tod —5B 2
Markfield Clo. Lut —6G 7
Markham Cres. Dunst —3G 11
Markham Rd. Lut —4G 7
Markyate Rd. S End —6E 20
Marlborough Path. Lut —4H 13
Marlborough Pl. Tod —5B 2
Marlborough Rd. Lut —4G 13
Marlin Clo. Lut —1G 11
Marlin Rd. Lut —1G 11
Marriott Rd. Lut —6F 7
Marshall Rd. Lut —3C 14
Marsh Rd. Lut —7C 6
Marsom Gro. Lut —4F 7
Marston Gdns. Lut —1H 13
Martindales, The. Lut —6K 13
(off Crescent Rd.)
Mary Brash Ct. Lut —2C 14
Maryport Rd. Lut —3E 12
Masters Clo. Lut —1F 21
Matlock Cres. Lut —4A 12
Matthew St. Dunst —5D 10
Maulden Clo. Lut —4C 14
Maundsey Clo. Lut —1E 18
May Clo. Eat B —4E 16
Mayfield Rd. Dunst —7F 11
Mayfield Rd. Lut —1B 14
Mayne Av. Lut —7A 6
May St. Lut —1J 21
Meadow Croft. Cad —2D 20
Meadow La. H Reg —7D 4
Meadow Rd. Lut —1F 13
Meadow Rd. Tod —5A 2
Meadow Rd. Tod —5A 2
Meadow Way. Cad —2C 20
Meadow Way. Offl —1J 9
Meads Clo. H Reg —7D 4
Meads, The. Eat B —4E 16
Meads, The. Lut —2C 14
Meadway. Dunst —6B 10
Meadway Ct. Dunst —6B 10
Medina Rd. Lut —4E 12
Medley Clo. Eat B —5F 17
Mees Clo. Lut —3D 6
Melford Clo. Lut —4C 14
Melson Sq. Lut —6J 13
(off Arndale Cen.)
Melson St. Lut —6J 13
Melton Ct. Dunst —6A 10
Melton Wlk. H Reg —6G 5
Memorial Ct. Lut —1D 12
Memorial Rd. Lut —1D 12
Mendip Way. Lut —3A 6
Mentmore Cres. Dunst —1E 18
Mersey Pl. Lut —6H 13
Meyrick Av. Lut —7G 13
Meyrick Rd. Lut —7G 13
Middleton Rd. Lut —1H 14
Midhurst Gdns. Lut —1G 13
Midland Rd. Lut —5J 13
Milburn Clo. Lut —3F 7
Miletree Cres. Dunst —7F 11
Mill End Clo. Eat B —6F 17
Millers Lay. Dunst —3H 11
Millfield La. Cad —2A 20
Millfield Rd. Lut —2E 12
Millfield Way. Cad —3B 20
Milliners Way. Lut —4G 13
Mill La. Bar C —1C 24
Mill Rd. H Reg —1C 10

Mill St.—Rodney Clo.

Mill St. *Lut* —5H **13**
Millway. *B Grn* —3K **15**
Milner Ct. *Lut* —5J **13**
Milton Rd. *Lut* —7G **13**
Milton Wlk. *H Reg* —1F **11**
Milton Way. *H Reg* —1F **11**
Milverton Grn. *Lut* —5E **6**
Minorca Way. *Lut* —2J **11**
Miss Joans Ride. *Kens* —7A **18**
Mistletoe Hill. *Lut* —5C **14**
Mixes Hill Rd. *Lut* —2K **13**
Moakes, The. *Lut* —4C **6**
Moat La. *Lut* —1F **9**
Mobley Grn. *Lut* —2B **14**
Moira Clo. *Lut* —6B **6**
Monks Clo. *Dunst* —4G **11**
Monmouth Clo. *Tod* —5A **2**
Monmouth Rd. *Harl* —1H **3**
Montague Av. *Lut* —6A **6**
Monton Clo. *Lut* —6D **6**
Montrose Av. *Lut* —2F **13**
Moor End Clo. *Lut* —6F **17**
Moor End Clo. *Eat B* —6F **17**
Moor End La. *Eat B* —5F **17**
Moorland Gdns. *Lut* —5H **13**
Moor Path. *Lut* —5H **13**
Moor St. *Lut* —5G **13**
Morcom Rd. *Dunst* —7G **11**
Moreton Rd. N. *Lut* —3A **14**
Moreton Rd. S. *Lut* —3A **14**
Morland Clo. *Dunst* —7C **10**
Morrell Clo. *Lut* —5E **6**
Morris Clo. *Lut* —4C **6**
  (in two parts)
Mortimer Clo. *Lut* —6D **12**
Mossbank Av. *Lut* —5C **14**
Mossdale Ct. Leag —7A **6**
  (off Teesdale)
Mostyn Rd. *Lut* —1C **12**
Moulton Rise. *Lut* —5K **13**
Mountfield Path. *Lut* —3J **13**
Mountfield Rd. *Lut* —3J **13**
Mt. Grace Rd. *Lut* —6C **8**
Mt. Pleasant Av. *Tod* —7B **2**
Mt. Pleasant Clo. *Tod* —7B **2**
Mt. Pleasant Rd. *Lut* —7C **6**
Mount, The. *Lut* —5H **13**
Mountview Av. *Dunst* —7G **11**
Moxes Wood. *Lut* —5C **6**
Muirfield. *Lut* —6J **7**
Mulberry Clo. *Lut* —6F **13**
Mullion Clo. *Lut* —7B **8**
Mussons Path. *Lut* —5H **13**
Muswell Clo. *Lut* —6F **7**
Mutford Croft. *Lut* —4D **14**

Napier Rd. *Lut* —6H **13**
Nappsbury Rd. *Lut* —7B **6**
Naseby Rd. *Lut* —6F **13**
Nash Clo. *H Reg* —7F **5**
Nayland Clo. *Lut* —4E **14**
Needham Rd. *Lut* —6K **5**
Neptune Clo. H Reg —6G **5**
  (off Parkside Dri.)
Neptune Sq. *H Reg* —6G **5**
Nethercott Clo. *Lut* —4C **14**
Nettle Clo. *Lut* —1G **11**
Neville Rd. *Lut* —7E **6**
Neville Rd. Pas. *Lut* —7E **6**
Newark Rd. *Lut* —3E **12**
Newark Rd. Path. *Lut* —3E **12**
New Bedford Rd. *Lut* —6G **7**
Newbold Rd. *Lut* —5F **7**
Newbury Clo. *Lut* —3C **12**
Newbury Rd. *H Reg* —6G **5**
Newcombe Rd. *Lut* —6G **13**
Newlands Rd. *Lut* —2F **21**
Newnham Clo. *Lut* —4D **14**
New St. *Lut* —7H **13**
New St. *S End* —5G **21**
Newtondale. *Lut* —7A **6**
New Town Rd. *Lut* —7J **13**
New Town St. *Lut* —7J **13**
New Woodfield Grn. *Dunst* —7G **11**
Nicholas Way. *Dunst* —5D **10**
Nicholls Clo. *Bar C* —2C **24**
Nichols Clo. *Lut* —3C **14**
Nightingale Clo. *Lut* —6C **8**
Nightingale La. Lut —5G **13**
  (off Waldeck Rd.)
Ninfield Ct. *Lut* —2C **14**
  (off Telscombe Way)
Ninth Av. *Lut* —5B **6**
Norcott Clo. *Dunst* —6F **11**
Norfolk Rd. *Dunst* —7H **11**
Norfolk Rd. *Lut* —4A **14**

Norman Rd. *Bar C* —1C **24**
Norman Rd. *Lut* —3F **13**
Norman Way. *Dunst* —5A **10**
Northall Clo. *Eat B* —4D **16**
Northall Rd. *Eat B* —5D **16**
Northcliffe. *Eat B* —4E **16**
Northcliffe. *Eat B* —4E **16**
N. Drift Way. *Lut* —7F **13**
Northfields. *Dunst* —2C **10**
N. Luton Ind. Est. *Lut* —5K **5**
N. Station Way. *Dunst* —4B **10**
North St. *Lut* —5J **13**
  (in three parts)
Northview Rd. *H Reg* —3C **10**
Northview Rd. *Lut* —3K **13**
Northwell Dri. *Lut* —3C **6**
Norton Rd. *Lut* —1D **12**
Nunnery La. *Lut* —7F **7**
Nurseries, The. *Eat B* —4E **16**
Nursery Clo. *Dunst* —5C **10**
Nursery Pde. *Lut* —7C **6**
Nursery Rd. *Lut* —7D **6**
Nymans Clo. *Lut* —2D **14**

Oak Clo. *Dunst* —5F **11**
Oak Clo. *Harl* —2H **3**
Oakley Clo. *Lut* —1B **12**
Oakley Rd. *Leag* —1B **12**
Oak Rd. *Lut* —5F **13**
Oaks, The. *Lut* —1B **12**
Oaks, The. *S End* —5G **21**
Oakway. *Stud* —7D **18**
Oakwell Clo. *Dunst* —6B **10**
Oakwood Av. *Dunst* —7F **11**
Oakwood Dri. *Lut* —4A **6**
Oatfield Clo. *Lut* —1H **11**
Offley Hill. *Offl* —1J **9**
Old Bedford Rd. *Lut* —6H **7**
Oldhill. *Dunst* —7E **10**
Old Orchard. *Lut* —1H **21**
Old Rd. *Bar C* —2C **24**
Old School Ct. *Eat B* —4E **16**
Old School Wlk. *S End* —5G **21**
Olma Rd. *Lut* —3C **6**
Olympic Clo. *Lut* —7J **5**
  (in three parts)
Onslow Rd. *Lut* —7B **6**
Orchard Clo. *Bar C* —4C **24**
Orchard Clo. *Dunst* —5B **2**
Orchard Clo. *H Reg* —2D **10**
Orchard End. *Edl* —6E **16**
Orchards, The. *Eat B* —3D **16**
Orchard Way. *Eat B* —5F **17**
Orchard Way. *Lut* —1A **12**
Orchid Clo. *Dunst* —4A **10**
Oregon Way. *Lut* —4E **6**
Ormsby Clo. *Lut* —1J **21**
Orpington Clo. *Lut* —2J **11**
Osborne Ct. *Lut* —1K **21**
Osborne Rd. *Dunst* —6D **10**
Osborne Rd. *Lut* —7K **13**
Osborn Rd. *Bar C* —2C **24**
Osprey Wlk. *Lut* —7J **5**
Ouseley Way. *Kens* —6A **18**
Overfield Rd. *Lut* —4C **14**
Overstone Rd. *Lut* —4B **12**
Oving Clo. *Lut* —3D **14**
Oxen Ind. Est. *Lut* —4K **13**
Oxen Rd. *Lut* —4K **13**
Oxford Rd. *Lut* —7J **13**

Packhorse Pl. *Kens* —6A **20**
Paddock Clo. *Lut* —1H **11**
Palma Clo. *Dunst* —2B **10**
Parade, The. *Dunst* —4C **10**
Park Av. *H Reg* —7E **4**
Park Av. *Lut* —5A **6**
Park Av. *Tot* —2H **17**
Park Av. Trad. Est. *Lut* —5A **6**
Park Hill. *Tod* —4B **2**
Parkland Dri. *Lut* —1H **21**
Park La. *Eat B* —4D **16**
Park Leys. *Harl* —2H **3**
Parkmead. Lut —7K **13**
  (off Park St.)
Park Rd. *Dunst* —6F **11**
Park Rd. *Tod* —4A **2**
Park Rd. N. *H Reg* —7E **4**
Parkside Clo. *H Reg* —7F **5**
Parkside Dri. *H Reg* —7E **4**
Park Sq. *Lut* —6J **13**
Park St. *Dunst* —4C **10**
Park St. *Lut* —6J **13**
Park St. W. *Lut* —7J **13**
Park Viaduct. *Lut* —7J **13**

Park View Clo. *Lut* —6B **6**
Parkway. *H Reg* —6G **5**
Parrot Clo. *Dunst* —4G **11**
Partridge Ct. *Lut* —7J **5**
Parys Rd. *Lut* —6F **7**
Pascomb Rd. *Dunst* —5B **10**
Pastures, The. *Edl* —7F **17**
Pastures Way. *Lut* —7H **5**
Patterdale Clo. *Dunst* —6D **10**
Peach Ct. *Lut* —7K **13**
Peartree Clo. *Tod* —6A **2**
Peartree Clo. *Tod* —6A **2**
Peartree Rd. *Lut* —1C **14**
Pebblemoor. *Edl* —7E **16**
Peck Ct. *Bar C* —1B **24**
Peel Pl. *Lut* —6H **13**
Peel St. *H Reg* —7D **4**
Peel St. *Lut* —6H **13**
Pegsdon Clo. *Lut* —5F **7**
Pembroke Av. *Lut* —2C **12**
Penda Clo. *Lut* —6D **6**
Penhill. *Lut* —6C **6**
Pennine Av. *Lut* —4A **6**
Penrith Av. *Dunst* —6D **10**
Peppiates, The. *Dunst* —6C **16**
Pepsal End Rd. *Pep* —7G **21**
Percheron Dri. *Lut* —2J **11**
Percival Way. *Lut A* —6C **14**
Peregrine Rd. *Lut* —1J **11**
Periwinkle La. *Dunst* —6E **10**
Perrymead. *Lut* —3F **15**
Petard Clo. *Lut* —3J **11**
Petersfield Gdns. *Lut* —3C **6**
Petropolis Ho. *Dunst* —5D **10**
Petunia Clo. *Lut* —4G **13**
Pevensey Clo. *Lut* —1D **14**
Piggotts La. *Lut* —1B **12**
Pilgrims Clo. *Harl* —3H **3**
Pinewood Clo. *Lut* —3A **6**
Pinford Dell. *Lut* —4D **14**
Pipers Croft. *Dunst* —6B **10**
Pipers La. *Al G* —6C **20**
Pirton Rd. *Lut* —7A **6**
Plaiters Way. *Bid* —7C **4**
Plantation Rd. *Lut* —5B **6**
Platz Ho. *H Reg* —7F **5**
Playford Sq. *Lut* —7B **6**
Plewes Clo. *Kens* —6A **18**
Plough Clo. *Lut* —1G **11**
Plough Ct. Lut —1G **11**
  (off Plough Clo.)
Plummers La. *Lut & Hpdn* —4J **23**
Plumpton Clo. *Lut* —2D **14**
Plymouth Clo. *Lut* —4B **14**
Poets Grn. *Lut* —3J **11**
Polegate. *Lut* —3D **14**
Polzeath Clo. *Lut* —5C **14**
Pomeroy Gro. *Lut* —7J **7**
Pomfret Av. *Lut* —5K **13**
Pond Clo. *Lut* —7K **5**
Pondwicks Rd. *Lut* —6K **13**
Poplar Av. *Lut* —4G **7**
Poplar Rd. *Kens* —6G **19**
Poplars Clo. *Lut* —2B **14**
Porlock Dri. *Lut* —4C **14**
Portland Clo. *Town I* —2D **10**
Portland Rd. *Lut* —4E **12**
Porz Av. *H Reg* —2E **10**
Pottery Clo. *Lut* —5D **6**
Power Ct. *Lut* —6K **13**
Poynters Rd. *Dunst & Lut* —2G **11**
Prebendal Dri. *S End* —4F **21**
President Way. *Lut* —5D **14**
Preston Gdns. *Lut* —3K **13**
Preston Path. *Lut* —3K **13**
Preston Rd. *Tod* —6C **2**
Prestwick Clo. *Lut* —7J **7**
Priestleys. *Lut* —6E **12**
Primrose Ct. *Dunst* —5C **10**
Prince Pl. *Lut* —4H **13**
Princess Ct. *Dunst* —4E **10**
Princess St. *Lut* —6H **13**
Princes St. *Dunst* —5C **10**
Princes St. *Tod* —6B **2**
Princes St. *Tod* —6B **2**
Prince Way. *Lut* —5D **14**
Printers Way. *Dunst* —3D **10**
Priory Gdns. *Dunst* —5E **10**
Priory Gdns. *Lut* —1H **13**
Priory Rd. *Dunst* —5E **10**
Proctor Way. *Lut* —6C **14**
Progress Way. *Lut* —6K **5**
Provost Way. *Lut* —5C **14**
Prudence Clo. *Harl* —2G **3**
Purcell Rd. *Lut* —1H **11**
Purley Cen. *Lut* —5C **6**

Purway Clo. *Lut* —5C **6**
Putteridge Pde. *Lut* —1C **14**
Putteridge Rd. *Lut* —1B **14**
Pyghtle Ct. *Lut* —6E **12**
Pyghtle, The. *Lut* —6E **12**
Pynders La. *Dunst* —3G **11**
Pytchley Clo. *Lut* —7J **7**

Quadrant, The. *H Reg* —7E **4**
Quantock Clo. *Lut* —4F **7**
Quantock Ct. *Lut* —4F **7**
Quantock Rise. *Lut* —4F **7**
Queens Clo. *Lut* —7J **13**
Queens Ct. *Dunst* —4D **10**
Queen's Ct. *Lut* —4H **13**
Queen St. *H Reg* —1D **10**
Queens Way. *Dunst* —4D **10**
Queens Way Pde. *Dunst* —4D **10**
Quickswood. *Lut* —5E **6**
Quilter Clo. *Lut* —1D **12**

Radburn Ct. *Dunst* —4C **10**
Radnor Rd. *Lut* —1H **11**
Radstone Pl. *Lut* —4F **15**
Raglan Clo. *Lut* —2H **11**
Raleigh Gro. *Lut* —4B **12**
Ramridge Rd. *Lut* —3A **14**
Ramsey Clo. *Lut* —2H **11**
Ramsey Ct. *Lut* —2H **11**
Ramsey Rd. *Bar C* —2C **24**
Ranock Clo. *Lut* —4B **6**
Rapper Ct. *Lut* —5G **13**
Ravenbank Rd. *Lut* —7C **8**
Ravenhill Way. *Lut* —7J **5**
Ravenscourt. *Dunst* —2B **10**
Ravensthorpe. *Lut* —1B **14**
Raynham Way. *Lut* —4D **14**
Readers Clo. *Dunst* —3C **10**
Reaper Clo. *Lut* —1G **11**
Recreation Rd. *H Reg* —6E **4**
Redferns Clo. *Lut* —7E **12**
Redferns Ct. *Lut* —7E **12**
Redfield Clo. *Dunst* —5A **10**
Redgrave Gdns. *Lut* —4D **6**
Red Ho. Ct. *H Reg* —1E **10**
Red Lion Cotts. *Offl* —2K **9**
Red Lion Cotts. *Offl* —2K **9**
Redmire Clo. *Lut* —6K **5**
Red Rails. *Lut* —1G **21**
Red Rails Ct. *Lut* —1G **21**
Redwood Dri. *Lut* —4A **6**
Reeds Dale. *Lut* —3F **15**
Reeves Av. *Lut* —1F **13**
Regency Ct. *Dunst* —6E **10**
Regent St. *Dunst* —4D **10**
Regent St. *Lut* —6H **13**
Reginald St. *Lut* —4H **13**
Regis Rd. *Lut* —1G **11**
Renshaw Clo. *Lut* —3E **14**
Repton Clo. *Lut* —6C **6**
Reston Path. *Lut* —3E **14**
Retreat, The. *Dunst* —4H **11**
Ribocon Way. *Lut* —5K **5**
Richards Clo. *Lut* —7F **13**
Richards St. *Lut* —7F **13**
Richard St. *Dunst* —5C **10**
Richmond Ct. *Lut* —4K **13**
Richmond Hill. *Lut* —3K **13**
Richmond Hill Path. *Lut* —3K **13**
Rickyard Clo. *Lut* —2B **14**
Riddy La. *Lut* —7F **7**
Ride, The. *Tot* —4H **17**
Ridge Ct. *Lut* —4A **14**
Ridgeway. *Kens* —6G **19**
Ridgeway Av. *Dunst* —3F **11**
Ridgeway Dri. *Dunst* —4G **11**
Ridgway Rd. *Lut* —4K **13**
Ridings, The. *Lut* —4G **13**
Ringmere Ct. Lut —2C **14**
  (off Telscombe Way)
Ringwood Rd. *Lut* —5H **7**
Ripley Rd. *Lut* —4A **12**
Riverside Rd. *Lut* —7C **6**
River Way. *Lut* —7C **6**
Robert Allen Ct. Lut —7J **13**
  (off Langley St.)
Robinson Cres. *Harl* —1H **3**
Robinswood. *Lut* —7J **7**
Rochdale Ct. Lut —7J **13**
  (off Albert Rd.)
Rochester Av. *Lut* —1C **14**
Rochford Dri. *Lut* —3E **14**
Rockley Rd. *Lut* —7E **12**
Rodeheath. *Lut* —2B **12**
Rodney Clo. *Lut* —2H **11**

Roebuck Clo. *Lut* —7F **13**
Roedean Clo. *Lut* —2D **14**
Rogate Rd. *Lut* —7C **8**
Roman Ct. *H Reg* —1D **10**
Roman Gdns. *H Reg* —1D **10**
Roman Rd. *Bar C* —2D **24**
Roman Rd. *Lut* —2C **12**
Rondini Av. *Lut* —2F **13**
Rookery Dri. *Lut* —6J **7**
Rose Ct. *Eat B* —4D **16**
Rosedale. *H Reg* —7G **5**
Rosedale Clo. *Lut* —5A **6**
Rose Wlk. *Dunst* —6B **2**
Rose Wlk. *H Reg* —6G **5**
Rose Wood Clo. *Lut* —3K **13**
Roslyn Way. *H Reg* —7C **4**
Ross Clo. *Lut* —7F **13**
Rossfold Rd. *Lut* —4B **6**
Rosslyn Cres. *Lut* —7G **7**
Rossway. *S End* —5F **21**
Rossway St. *Lut* —5G **21**
Rotherfield. *Lut* —2D **14**
Rotherham Av. *Lut* —1F **21**
Rotherwood Clo. *Dunst* —4A **10**
Rothesay Rd. *Lut* —6H **13**
Rowan Clo. *Lut* —6F **13**
Rowel Field. *Lut* —4C **14**
Rowington Clo. *Lut* —3E **14**
Royale Wlk. *Dunst* —6E **10**
Royce Clo. *Dunst* —6B **10**
Roydon Clo. *Lut* —1J **11**
Rudyard Clo. *Lut* —2B **12**
Rueley Dell Rd. *Lil* —2D **8**
Runfold Av. *Lut* —7E **6**
Runham Clo. *Lut* —1K **11**
Runley Rd. *Lut* —5C **12**
Rushall Grn. *Lut* —3D **14**
Rushmore Clo. *Cad* —1C **20**
Rusper Grn. *Lut* —2D **14**
Russell Clo. *Kens* —6G **19**
Russell Rise. *Lut* —7H **13**
Russell Rd. *Tod* —6B **2**
Russell Rd. *Tod* —6B **2**
Russell St. *Lut* —7H **13**
Ruthin Clo. *Lut* —1H **21**
Rutland Ct. *Lut* —6A **14**
Rutland Cres. *Lut* —6A **14**
Rutland Path. *Lut* —6A **14**
Rydal Way. *Lut* —7D **6**
Ryecroft Way. *Lut* —2A **14**
Ryefield. *Lut* —3E **6**
Rye Hill. *Lut* —4H **13**
  (off Cromwell Hill)
Rye, The. *L Buzz & LU6* —1A **16**
Rylands Heath. *Lut* —3F **15**
Ryton Clo. *Lut* —6F **13**

Sacombe Grn. *Lut* —3F **7**
Saffron Clo. *Lut* —6H **7**
Saffron Rise. *Eat B* —4E **16**
St Alders Ct. *Lut* —2F **13**
St Andrews Clo. *S End* —5F **21**
St Andrews La. *H Reg* —7E **4**
  (in two parts)
St Andrews Wlk. *Cad* —5G **21**
St Ann's La. *Lut* —6J **13**
St Augustine Av. *Lut* —2F **13**
St Bernard's Clo. *Lut* —2G **13**
St Catherines Av. *Lut* —1F **13**
St Christopher's Clo. *Dunst* —4H **11**
St David's Way. *H Reg* —6F **5**
  (off Kent Rd.)
St Dominics Sq. *Lut* —1H **11**
  (off Tomlinson Av.)
St Ethelbert Av. *Lut* —1F **13**
St Georges Clo. *Tod* —5B **2**
St George's Sq. *Lut* —6J **13**
St Giles Clo. *Tot* —4H **17**
St Ives Clo. *Lut* —2F **13**
St James Clo. *H Reg* —1G **11**
St James Rd. *Lut* —2F **13**
St John Clo. *Lut* —1F **21**
St John's Ct. *Lut* —1G **21**
St Joseph's Clo. *Lut* —1E **12**
St Kilda Rd. *Lut* —1H **11**
St Lawrences Av. *Lut* —1G **13**
St Lukes Clo. *Lut* —3C **12**
St Margarets Av. *Lut* —3K **13**
St Margarets Clo. *Streat* —7A **24**
St Martin's Av. *Lut* —3K **13**
St Mary's Clo. *Lut* —6K **13**
  (off St Mary's Rd.)
St Mary's Ct. *Dunst* —5D **10**
St Mary's Ga. *Dunst* —5D **10**
St Mary's Glebe. *Edl* —6E **16**
St Mary's Rise. *B Grn* —4K **15**

St Mary's Rd. *Lut* —6K **13**
St Mary's St. *Dunst* —5D **10**
St Matthew's Clo. *Lut* —5J **13**
St Michaels Av. *H Reg* —1C **10**
St Michael's Cres. *Lut* —2C **12**
St Mildreds Av. *Lut* —2G **13**
St Monicas Av. *Lut* —2F **13**
St Ninians Ct. *Lut* —5H **13**
St Olam's Clo. *Lut* —6F **7**
St Paul's Rd. *Lut* —1J **21**
St Peter's Rd. *Dunst* —5E **10**
St Peters Rd. *Lut* —6F **13**
St Saviour's Cres. *Lut* —7H **13**
St Thomas's Rd. *Lut* —1K **13**
St Winifreds Av. *Lut* —2G **13**
Salisbury Rd. *Lut* —7H **13**
Saltdean Clo. *Lut* —1D **14**
Salters Way. *Dunst* —2B **10**
Saltfield Cres. *Lut* —1A **12**
Salusbury La. *Offl* —2J **9**
Sandalwood Clo. *Lut* —5F **7**
Sandell Clo. *Lut* —3K **13**
Sandgate Rd. *Lut* —3B **12**
Sandland Clo. *Dunst* —4C **10**
Sandringham Dri. *H Reg* —1F **11**
Sanfoin Rd. *Lut* —1J **11**
Santingfield N. *Lut* —7F **13**
Santingfield S. *Lut* —7F **13**
Sarum Rd. *Lut* —1D **12**
Sawtry Clo. *Lut* —6E **6**
Saxon Clo. *Dunst* —5A **10**
Saxon Cres. *Bar C* —1C **24**
Saxon Rd. *Lut* —3F **13**
Saxted Clo. *Lut* —4D **14**
Saywell Rd. *Lut* —3A **14**
Scawsby Clo. *Dunst* —4A **10**
School Gdns. *Bar C* —3C **24**
School La. *Eat B* —4E **16**
School La. *Lut* —1B **12**
School La. *Offl* —1J **9**
School Wlk. *H Reg* —5F **5**
School Wlk. *Lut* —7J **13**
Scotfield Ct. *Lut* —2D **14**
Seabrook. *Lut* —2K **11**
Seaford Clo. *Lut* —2C **14**
Seamons Clo. *Dunst* —7F **11**
Sears, The. *Dunst* —5B **16**
Seaton Rd. *Lut* —2D **12**
Sedbury Clo. *Lut* —6E **6**
Sedgwick Rd. *Lut* —5K **5**
Selbourne Rd. *Lut* —2D **12**
Selina Clo. *Lut* —5A **6**
Selsey Dri. *Lut* —7C **8**
Severalls, The. *Lut* —2B **14**
Sewell La. *Dunst* —2A **10**
Seymour Av. *Lut* —1K **21**
Seymour Rd. *Lut* —1K **21**
Shaftesbury Rd. *Lut* —5F **13**
Shakespeare Rd. *Lut* —2K **11**
Shanklin Clo. *Lut* —5E **6**
Sharpenhoe Rd. *Bar C* —3A **24**
  (Barton-le-Clay)
Sharpenhoe Rd. *Bar C & Streat*
  (Streatley)   —7A **24**
Sharples Grn. *Lut* —4F **7**
Shelley Rd. *Lut* —3K **11**
Shelton Av. *Tod* —7B **2**
Shelton Clo. *Tod* —7B **2**
Shelton Way. *Lut* —2A **14**
Shepherd Rd. *Lut* —1G **11**
Shepherds Clo. *Harl* —2H **3**
Sherborne Av. *Lut* —6H **7**
Sherd Clo. *Lut* —5D **6**
Sheridan Rd. *Lut* —3G **13**
Sheriden Clo. *Dunst* —4D **10**
Sheringham Clo. *Lut* —5G **7**
Sherwood Rd. *Lut* —3E **12**
Shingle Clo. *Lut* —4E **6**
Shires, The. *Lut* —4H **13**
Shirley Rd. *Lut* —5G **13**
Short Path. *H Reg* —6E **4**
Sibley Clo. *Lut* —2B **14**
Silecroft Rd. *Lut* —5A **14**
Silver St. *Lut* —6J **13**
Simpkins Dri. *Bar C* —1C **24**
Sir Herbert Janes Village. *Lut* —1B **12**
Skelton Clo. *Lut* —3F **7**
Skimpot Rd. *Dunst* —4J **11**
Skua Clo. *Lut* —1J **11**
Slapton La. *N'all* —4A **16**
Slate Hall. *Lut* —7J **3**
Slickett's La. *Lut* —7F **17**
Smiths La. *Mall. Lut* —6J **13**
  (off Arndale Cen.)
Smith Sq. *Lut* —6J **13**
  (off Arndale Cen.)
Snowford Clo. *Lut* —5E **6**

Solway Rd. N. *Lut* —1E **12**
Solway Rd. S. *Lut* —2E **12**
Someries Arch. *Lut* —1C **22**
Somersby Clo. *Lut* —1J **21**
Somerset Av. *Lut* —3A **14**
Sorrel Clo. *Lut* —4E **6**
Southampton Gdns. *Lut* —3B **6**
S. Drift Way. *Lut* —7F **13**
S. End La. *Lut* —6A **16**
Southern Rise. *E Hyde* —6F **23**
Southfields Rd. *Dunst* —7F **11**
South Rd. *Lut* —7J **13**
Southwood Rd. *Dunst* —7G **11**
Sowerby Av. *Lut* —2C **14**
Spandow Ct. *Lut* —7H **13**
  (off Elizabeth St.)
Sparrow Clo. *Lut* —1J **11**
Spayne Clo. *Lut* —4F **7**
Spear Clo. *Lut* —6C **6**
Speedwell Clo. *Lut* —4E **6**
Spencer Rd. *Lut* —4G **13**
Spinney Cres. *Dunst* —5B **10**
Spinney Rd. *Lut* —5B **6**
Spittlesea Rd. *Lut* —6C **14**
Spoondell. *Dunst* —6B **10**
Spratts La. *Lut* —6A **16**
Springfield Rd. *Eat B* —5K **17**
Springfield Rd. *Lut* —6G **7**
Spring Pl. *Lut* —7H **13**
Spurcroft. *Lut* —3G **7**
Square, The. *Dunst* —5D **10**
Squires Pl. *Tod* —5B **2**
Staines Sq. *Dunst* —6E **10**
Stanbridge Rd. *L Buzz* —1A **16**
Stanbridge Rd. *Tot* —1E **16**
Stanford Rd. *Lut* —3A **14**
Stanley Livingstone Ct. *Lut* —7H **13**
  (off Stanley St.)
Stanley Rd. *Streat* —7A **24**
Stanley St. *Lut* —7H **13**
Stanley Wlk. *Lut* —7H **13**
  (off Stanley St.)
Stanmore Cres. *Lut* —1D **12**
Stanton Rd. *Lut* —4A **12**
Stapleford Rd. *Lut* —1B **14**
Startpoint. *Lut* —6G **13**
Statham Clo. *Lut* —3F **7**
Station Rd. *Dunst* —5F **11**
Station Rd. *Harl* —2G **3**
Station Rd. *Leag* —7C **6**
Station Rd. *Lut* —5J **13**
Station Rd. *Tod* —4C **2**
Staveley Rd. *Dunst* —7D **10**
Staveley Rd. *Lut* —4A **12**
Stephens Clo. *Lut* —2A **14**
Stewart Clark Ct. *Dunst* —4C **10**
Stivers Way. *Harl* —1H **3**
Stockdale. *Tod* —6B **2**
Stockholm Way. *Lut* —4C **6**
Stockingstone Rd. *Lut* —2H **13**
Stockwood Ct. *Lut* —7H **13**
  (off Stockwood Cres.)
Stockwood Cres. *Lut* —7H **13**
Stoneleigh Clo. *Lut* —5F **7**
Stonesdale. *Lut* —1A **12**
Stoneways Clo. *Lut* —6B **6**
Stoneygate Rd. *Lut* —3B **12**
Stoney La. *Lut & K Wal* —4G **15**
Stopsley Way. *Lut* —2A **14**
Strafford Clo. *Harl* —2H **3**
Strangers Way. *Lut* —1A **12**
Stratford Clo. *Tod* —5A **2**
Stratford Rd. *Lut* —4F **13**
Strathmore Av. *Lut* —1J **21**
Strathmore Wlk. *Lut* —7K **13**
Stratton Gdns. *Lut* —1H **13**
Strawberry Field. *Lut* —5C **6**
Stuart Pl. *Lut* —6H **13**
Stuart Rd. *Bar C* —1C **24**
Stuart St. *Dunst* —4C **10**
Stuart St. *Lut* —6H **13**
Stuart St. Pas. *Lut* —6H **13**
Stubbs Clo. *H Reg* —7F **5**
Studham La. *Kens* —6C **18**
Studley Rd. *Lut* —4H **13**
Styles Clo. *Lut* —3C **14**
Sudbury Rd. *Lut* —6K **5**
Suffolk Clo. *Lut* —2J **13**
Suffolk Rd. *Dunst* —7H **11**
Sugden Ct. *Dunst* —5C **10**
Summerfield Rd. *Lut* —5D **12**
Summerleys. *Edl* —6E **16**
Summers Rd. *Lut* —4C **14**
Summer St. *S End* —4G **21**
Sunbower Av. *Dunst* —2A **10**
Suncote Av. *Dunst* —2A **10**
Suncote Clo. *Dunst* —3A **10**

Sundon Pk. Pde. *Lut* —5A **6**
Sundon Pk. Rd. *Lut* —3K **5**
Sundon Rd. *Chal & Streat* —3H **5**
Sundon Rd. *Harl* —2H **3**
Sundon Rd. *H Reg & Chal* —7E **4**
Sundon Rd. *Streat* —7A **24**
Sundown Av. *Dunst* —6F **11**
Sunningdale. *Lut* —2K **13**
Sunningdale Ct. *Lut* —2K **13**
Sunridge Av. *Lut* —3J **13**
Sunset Dri. *Lut* —2K **13**
Surrey St. *Lut* —7J **13**
Sussex Clo. *Lut* —1H **11**
Sussex Pl. *Lut* —3D **14**
Sutherland Pl. *Lut* —1H **21**
Sutton Gdns. *Lut* —6B **6**
Swallow Clo. *Lut* —1J **11**
Swan Ct. *Dunst* —5D **10**
Swan Mead. *Lut* —1J **11**
Swansons. *Edl* —7F **17**
Swanston Grange. *Lut* —3K **11**
Swasedale Rd. *Lut* —6D **6**
Swasedale Wlk. *Lut* —6D **6**
Swifts Grn. Clo. *Lut* —7B **8**
Swifts Grn. Rd. *Lut* —7B **8**
Sworder Clo. *Lut* —3D **6**
Sycamore Clo. *Lut* —3A **6**
Sycamore Rd. *H Reg* —6E **4**
Sylam Clo. *Lut* —5C **6**

Tabor Clo. *Harl* —1H **3**
Talbot Rd. *Lut* —4K **13**
Tameton Clo. *Lut* —3F **15**
Tancred Rd. *Lut* —1A **14**
Tanfield Grn. *Lut* —4E **14**
Tarnside Clo. *Dunst* —7D **10**
Taskers Row. *Edl* —6F **17**
Taunton Av. *Lut* —4B **14**
Tavistock Cres. *Lut* —1J **21**
Tavistock St. *Dunst* —3C **10**
Tavistock St. *Lut* —7J **13**
Taylor St. *Lut* —5K **13**
Tebworth Rd. *L Buzz* —3A **4**
Teesdale. *Lut* —7A **6**
Telford Way. *Lut* —5H **13**
Telmere Ind. Est. *Lut* —7J **13**
  (off Albert Rd.)
Telscombe Way. *Lut* —2C **14**
Temple Clo. *Lut* —7J **7**
Tenby Dri. *Lut* —2D **12**
Tennyson Av. *H Reg* —1F **11**
Tennyson Rd. *Lut* —2J **21**
Tenth Av. *Lut* —5A **6**
Tenzing Gro. *Lut* —7G **13**
Thames Clo. *Lut* —2F **13**
Thames Ind. Est. *Dunst* —5D **10**
Thatch Clo. *Lut* —1H **11**
Thaxted Clo. *Lut* —4A **12**
Thelby Clo. *Lut* —6D **6**
Therfield Wlk. *H Reg* —6G **5**
Thetford Gdns. *Lut* —6J **7**
Third Av. *Lut* —5A **6**
Thirlestone Rd. *Lut* —4B **12**
Thistle Rd. *Lut* —6K **13**
Thornage Clo. *Lut* —5H **7**
Thornbury. *Dunst* —3H **11**
Thornbury Ct. *H Reg* —5E **4**
Thornhill Clo. *H Reg* —5F **5**
Thornhill Rd. *Lut* —4D **12**
Thorn Rd. *H Reg* —7A **4**
Thorntondale. *Lut* —7A **6**
Thorn View Rd. *H Reg* —7D **4**
Thrales Clo. *Lut* —5C **6**
  (in three parts)
Thresher Clo. *Lut* —1H **11**
Thricknells Clo. *Lut* —5C **6**
Thurlow Clo. *Lut* —1H **11**
Tibbet Clo. *Dunst* —7F **11**
Tiberius Rd. *Lut* —6D **6**
Tilgate. *Lut* —2D **14**
Timberlands Cvn. Pk. *Lut* —6G **21**
Timworth Clo. *Lut* —4D **14**
Tinsley Clo. *Lut* —2F **21**
Tintagel Clo. *Lut* —1F **13**
Tipplehill Rd. *Al G* —4D **20**
Titan Ct. *Lut* —4D **12**
Tithe Farm Rd. *H Reg* —6D **4**
Tithe Farm Rd. *H Reg* —6D **4**
Toddington Rd. *Harl* —1F **3**
Toddington Rd. *Lut* —6K **5**
Toland Clo. *Lut* —4A **12**
Tomlinson Av. *Lut* —1G **11**
Torquay Dri. *Lut* —1B **12**
Totternhoe Rd. *Dunst* —6A **10**
Totternhoe Rd. *Eat B* —4D **16**
Tower Ct. *Lut* —4A **12**

Tower Rd.—York St.

Tower Rd. *Lut* —5A **14**
Tower Way. *Lut* —5A **14**
Townsend Cen., The. *H Reg* —1D **10**
Townsend Farm Rd. *H Reg* —2D **10**
Townsend Ind. Est. *H Reg* —2D **10**
Townsend Ter. *H Reg* —1C **10**
Townside. *Edl* —7F **17**
Townsley Clo. *Lut* —7J **13**
Tracey Ct. *Lut* —7J **13**
  (off Hibbert St.)
Trefoil Clo. *Lut* —1H **11**
Trent Rd. *Lut* —2E **12**
Trescott Clo. *Lut* —3E **14**
Trident Dri. *H Reg* —6F **5**
Triggs Way. *C'hoe* —2E **14**
Trimley Clo. *Lut* —7K **5**
Tring Rd. *Dunst* —7J **17**
Trinity Rd. *Lut* —7E **6**
Troon Gdns. *Lut* —6J **7**
Trowbridge Gdns. *Lut* —3J **13**
Truncalls. *Lut* —1H **21**
  (off Sutherland Pl.)
Truro Gdns. *Lut* —7F **7**
Tudor Clo. *Bar C* —1C **24**
Tudor Ct. *Dunst* —6F **11**
Tudor Dri. *H Reg* —1G **11**
Tudor Rd. *Lut* —3F **13**
Turner Clo. *H Reg* —7F **5**
Turners Rd. N. *Lut* —3A **14**
Turners Rd. S. *Lut* —3A **14**
Turnpike Clo. *Dunst* —7E **10**
Turnpike Dri. *Lut* —3G **7**
Twigden Ct. *Lut* —7C **6**
Twyford Dri. *Lut* —3D **14**
Tylers Mead. *Lut* —7J **7**
Tythe M. *Edl* —7E **16**
Tythe Rd. *Lut* —6A **6**

Ullswater Rd. *Dunst* —7D **10**
Ulverston Rd. *Dunst* —7C **10**
Underwood Clo. *Lut* —3D **6**
Union St. *Dunst* —5C **10**
Union St. *Lut* —7J **13**
Uplands. *Lut* —4B **6**
Uplands Ct. *Lut* —1J **21**
Up. George St. *Lut* —6H **13**
Upton Clo. *Lut* —6H **7**
Upwell Rd. *Lut* —3B **14**

Vadis Clo. *Lut* —5C **6**
Valence End. *Dunst* —7F **11**
Valiant Clo. *Harl* —2H **3**
Valley Clo. *Stud* —7A **18**
Vanbrugh Dri. *H Reg* —7F **5**
Varna Clo. *Lut* —2E **12**
Vauxhall Rd. *Lut* —1B **22**
Vauxhall Way. *Lut* —2A **14**
Venetia Rd. *Lut* —1A **14**
Venetia Rd. Footpath. *Lut* —1A **14**
  (off Hitchin Rd.)
Ventnor Gdns. *Lut* —5D **6**
Verey Rd. *Wood E* —3E **10**
Vernon Pl. *Dunst* —4D **10**
Vernon Rd. *Lut* —5G **13**
Verulam Gdns. *Lut* —6D **6**
Vespers Clo. *Lut* —2J **9**
Vicarage Rd. *H Reg* —7D **4**
Vicarage St. *Lut* —6D **6**
Viceroy Ct. *Dunst* —5E **10**
Victoria Pl. *Dunst* —4C **10**
Victoria Dunst* —4C **10**

Victoria St. *Lut* —7J **13**
Villa Ct. *Lut* —5H **13**
Villa Rd. *Lut* —5H **13**
Vincent Rd. *Lut* —7B **6**
Virginia Clo. *Lut* —2K **13**
Viscount Clo. *Lut* —7E **6**
Viscount Ct. *Lut* —4H **13**
  (off Knights Field)

Waddesdon Clo. *Lut* —3D **14**
Wadhurst Av. *Lut* —1G **13**
Walcot Av. *Lut* —3A **14**
Waldeck Rd. *Lut* —5G **13**
Waleys Clo. *Lut* —4C **6**
Walgrave Rd. *Dunst* —3H **11**
Walkley Rd. *H Reg* —1D **10**
Wallace Dri. *Eat B* —4E **16**
Wallace M. *Eat B* —4E **16**
Waller Av. *Lut* —3D **12**
Waller St. Mall. *Lut* —6J **13**
  (off Arndale Cen.)
Walnut Clo. *Lut* —1B **14**
Walsingham Clo. *Lut* —5H **7**
Waltham Ct. *Lut* —2C **14**
  (off Cowdray Clo.)
Wandon Clo. *Lut* —1C **14**
Warden Hill Clo. *Lut* —4G **7**
Warden Hill Gdns. *Lut* —4G **7**
Warden Hill Rd. *Lut* —4G **7**
Wardlow Ct. *Lut* —3H **13**
Wardown Cres. *Lut* —3J **13**
Wardswood La. *Lut* —2A **8**
Warminster Ct. *Lut* —4F **15**
Warren Clo. *Tod* —4A **2**
Warren Dri., The. *Lut* —5B **22**
Warren Rd. *Lut* —5D **12**
Warton Grn. *Lut* —3E **14**
Warwick Ct. *Lut* —5F **13**
  (off Warwick Rd.)
Warwick Rd. E. *Lut* —5F **13**
Warwick Rd. W. *Lut* —5F **13**
Washbrook Clo. *Bar C* —4C **24**
Water End La. *Chal* —2G **5**
Waterlow Rd. *Dunst* —4C **10**
Watermead Rd. *Lut* —6D **6**
Waterside. *Eat B* —6F **17**
Waterslade Grn. *Lut* —6F **7**
Watling Ct. *Dunst* —3C **10**
Watling Ct. *H Reg* —1D **10**
Watling Pl. *H Reg* —1D **10**
Watling St. *Hockl & Dunst* —7A **4**
Watling St. *Kens* —2H **19**
Wauluds Bank Dri. *Lut* —4B **6**
Wayside. *Dunst* —1F **19**
Weatherby. *Dunst* —5A **10**
Weatherby Rd. *Lut* —3B **12**
Wedgewood Rd. *Lut* —1H **11**
Welbeck Rd. *Lut* —5K **13**
Welbury Av. *Lut* —5G **7**
Weldon Clo. *Lut* —4E **14**
Wellfield Av. *Lut* —4A **6**
Wellgate Rd. *Lut* —3B **12**
Well Head Rd. *Tot* —3J **17**
Wellhouse Clo. *Lut* —6E **12**
Wellington Ct. *Lut* —7H **13**
  (off Wellington St.)
Wellington St. *Lut* —7H **13**
Wellington Ter. *Dunst* —5E **10**
Weltmore Rd. *Lut* —6D **6**
Wendover Way. *Lut* —2K **13**
Wenlock St. *Lut* —5J **13**
Wensleydale. *Lut* —4J **13**

Wentworth Av. *Lut* —6A **6**
Wentworth Clo. *Tod* —4A **2**
Wentworth Ct. *Harl* —2H **3**
Wentworth Gdns. *Tod* —5C **2**
Westbourne Rd. *Lut* —4F **13**
Westbury Clo. *Town I* —2D **10**
Westbury Gdns. *Lut* —2H **13**
Westdown Gdns. *Dunst* —6B **10**
Westerdale. *Lut* —1K **11**
Western Rd. *Lut* —7H **13**
Western Way. *Dunst* —4G **11**
Westfield Rd. *Dunst* —5B **10**
West Hill. *Dunst* —1D **18**
W. Hill Rd. *Lut* —1J **21**
West La. *Offl* —2J **9**
Westlea. *Lut* —1A **12**
Westlecote Gdns. *Lut* —1H **13**
Westminster Gdns. *H Reg* —6E **4**
Westmorland Av. *Lut* —7D **6**
Westoning Rd. *Harl* —1G **3**
West Pde. *Dunst* —5C **10**
West St. *Dunst* —6B **10**
West St. *Lil* —3D **8**
Westway. *Lut* —1C **14**
Wetherne Link. *Lut* —7A **6**
Wexham Clo. *Lut* —4C **6**
Weybourne Dri. *Lut* —5G **7**
Wharfdale. *Lut* —7A **6**
Wheatfield Ct. *Lut* —1G **11**
Wheatfield Rd. *Lut* —1G **11**
Whipperley Ct. *Lut* —1G **21**
Whipperley Ring. *Lut* —7E **12**
Whipperley Way. *Lut* —7F **13**
Whipsnade Rd. *Kens* —6B **10**
Whitby Rd. *Lut* —4G **13**
Whitchurch Clo. *Lut* —3D **14**
Whitecroft Rd. *Lut* —5A **14**
Whitefield Av. *Lut* —5A **6**
Whitehaven. *Lut* —3D **6**
Whitehill Av. *Lut* —1H **21**
White Hill Rd. *Bar C* —2C **24**
Whitehorse Vale. *Lut* —3C **6**
Whitehouse Clo. *H Reg* —1D **10**
Whitethorn Way. *Lut* —1E **12**
Whittingham Clo. *Lut* —4F **15**
Whitwell Clo. *Lut* —4F **7**
Wickets, The. *Lut* —4H **13**
Wick Hill. *Kens* —6H **19**
Wickmere Clo. *Lut* —5G **7**
Wickstead Av. *Lut* —2C **12**
Wigmore La. *Lut* —1B **14**
Wigmore Pk. Cen. *Lut* —4E **14**
Wilbury Dri. *Dunst* —3G **11**
Wild Cherry Dri. *Lut* —1H **21**
Willenhall Clo. *Lut* —5E **6**
William St. *Lut* —4J **13**
Williton Rd. *Lut* —7C **6**
Willow Clo. *Lut* —7C **6**
Willowgate Trading Est. *Lut* —4K **5**
Willow Way. *Dunst* —6B **2**
Willow Way. *H Reg* —6F **5**
  (off Kent Rd.)
Willow Way. *Lut* —7C **6**
Wilsden Av. *Lut* —7G **13**
Wimborne Rd. *Lut* —5F **13**
Wimple Rd. *Lut* —3J **11**
Winchester Gdns. *Lut* —3C **6**
Winch St. *Lut* —4J **13**
Windermere Clo. *Dunst* —6D **10**
Windermere Cres. *Lut* —7D **6**
Windmill Rd. *B Grn* —2K **15**
Windmill Rd. *Lut* —6K **13**
Windmill Trad. Est. *Lut* —6K **13**

Windsor Ct. *Lut* —7H **13**
Windsor Dri. *H Reg* —7F **5**
Windsor Pde. *Bar C* —1C **24**
Windsor Rd. *Bar C* —1C **24**
Windsor St. *Lut* —7H **13**
Windsor Wlk. *Lut* —7H **13**
Winfield St. *Dunst* —4D **10**
Wingate Ct. *Lut* —3D **12**
  (off Wingate Rd.)
Wingate Ho. *Lut* —3D **12**
Wingate Rd. *Dunst* —4G **11**
Wingate Rd. *Harl* —1H **3**
Wingate Rd. *Lut* —3D **12**
Winkfield Clo. *Lut* —4K **11**
Winsdon Rd. *Lut* —7H **13**
Winslow Clo. *Lut* —1G **13**
Winton Clo. *Lut* —6H **7**
Wiseman Clo. *Lut* —5J **7**
Wistow Rd. *Lut* —6E **6**
Withy Clo. *Lut* —7K **5**
Wivelsfield. *Eat B* —4E **16**
Wiveton Clo. *Lut* —5H **7**
Woburn Ct. *Lut* —7B **6**
  (off Vincent Rd.)
Wodecroft Rd. *Lut* —6F **7**
Wolfsburg Ct. *Lut* —7A **6**
  (off Hockwell Ring)
Wolston Clo. *Lut* —6G **13**
Woodbridge Clo. *Lut* —1C **12**
Woodbury Hill. *Lut* —3J **13**
Woodbury Hill Path. *Lut* —3J **13**
Woodcock Rd. *Lut* —6E **12**
Woodfield Ga. *Dunst* —7G **11**
Woodford Rd. *Dunst* —4G **11**
Wood Grn. Clo. *Lut* —7B **8**
Wood Grn. Rd. *Lut* —7B **8**
Woodland Av. *Lut* —3F **13**
Woodland Rise. *Stud* —7D **18**
Woodlands Av. *H Reg* —1E **10**
Woodmere. *Lut* —3E **6**
Woods Clo. *Kens* —5G **19**
Woodside. *Eat B* —4E **16**
Woodside Home Pk. *Lut* —3F **21**
Woodside Ind. Est. *H Reg* —2E **10**
Woodside Pk. Ind. Est. *H Reg* —2E **10**
Woodside Rd. *Wood & Lwr W*
   —2F **21**
Wood St. *Dunst* —5E **10**
Wood St. *Lut* —7K **13**
Woolpack Clo. *Dunst* —6E **10**
Wootton Clo. *Lut* —5F **7**
Wordsworth Rd. *Lut* —3J **11**
Workers La. *Tod* —6B **2**
Worthington Rd. *Dunst* —5B **10**
Wren Clo. *Lut* —6E **16**
Wren Wlk. *Edl* —6E **16**
Wulwards Clo. *Lut* —7F **13**
Wulwards Ct. *Lut* —7F **13**
Wychwood Av. *Lut* —2J **13**
Wycliffe Clo. *Lut* —6G **7**
Wycombe Way. *Lut* —4G **7**
Wyken Clo. *Lut* —5E **6**
Wyndham Rd. *Lut* —3A **12**
Wyvern Clo. *Lut* —2C **12**

Yately Clo. *Lut* —5H **7**
Yeovill Ct. *Lut* —3B **14**
Yeovil Rd. *Lut* —3B **14**
Yew St. *H Reg* —7E **5**
Yew Tree Clo. *Eat B* —5F **17**
York Clo. *Bar C* —1D **24**
York St. *Lut* —5K **13**